Prendre le **leadership**
des **compétences**

Le réveil du management

PIERRE DIONNE

Prendre le leadership
des **compétences**
Le réveil du management

PIERRE DIONNE

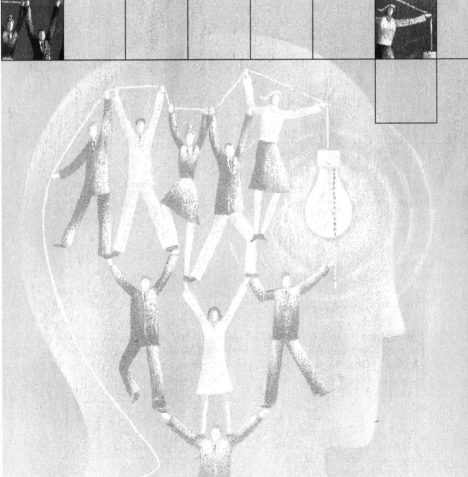

ÉDITIONS DU RENOUVEAU PÉDAGOGIQUE INC.

5757, RUE CYPIHOT, SAINT-LAURENT (QUÉBEC) H4S 1R3
TÉLÉPHONE: **(514) 334-2690**   TÉLÉCOPIEUR: **(514) 334-8470**
COURRIEL: **information@erpi.com**   **www.erpi.com**

Supervision éditoriale
Christiane Desjardins

Révision linguistique
Emmanuel Dalmenesche

Correction d'épreuves
Ghislaine Archambault

Supervision de la production
Muriel Normand

Conception graphique de l'intérieur et de la couverture
Frédérique Bouvier

Illustration
Josée Masse

Édition électronique
Infographie DN

Dépôt légal: 2ᵉ trimestre 2004
Bibliothèque nationale du Québec
Bibliothèque nationale du Canada
Imprimé au Canada

Recyclé
Contribue à l'utilisation responsable
des ressources forestières
www.fsc.org   Cert no. SGS-COC-003153
© 1996 Forest Stewardship Council

| 4567890 | MI | 09 |
| 20335 | ABCD | ENV10 |

ISBN 978-2-7613-1687-3

Table des matières

1

Le réveil du management

Petit à petit la clameur s'est tue. Les prophètes de malheur ont déserté leurs perchoirs. La mondialisation a changé les règles du jeu, mais l'état de l'économie inspire encore des craintes : serions-nous dans l'œil du cyclone ? En ce début de millénaire, on se demande où sont passés les gourous, les prophètes modernes, les alchimistes qui transmuaient des expressions chocs en leitmotivs, balayant les clichés du management des organisations d'un revers de formule magique. Force est de le constater, leurs invocations s'usent toutes plus vite les unes que les autres. L'apocalypse n'aura finalement pas lieu : la nouvelle économie se nourrit de l'ancienne, tel le parasite qui ne peut se passer de son hôte.

Les effets des technologies de l'information continuent à bousculer les convictions. Le contrôle du savoir et de ceux qui le détiennent est devenu un enjeu sans précédent. Le décloisonnement des marchés et la planétarisation de l'économie ont reconfiguré le territoire de la concurrence, l'ont porté sur un autre plan. Mais les organisations ont-elles vraiment changé ? Si oui, à quel point ? Et qu'en est-il du management ? S'est-il véritablement ajusté à la nouvelle donne ? Nos leaders ont-ils apprivoisé le changement ?

Les avis sur la question sont partagés. Selon certains, on assiste à une transformation radicale des organisations. D'autres annoncent que le pire est à venir, mais que rien n'est encore joué. La vérité semble pourtant être ailleurs. À mesure que retombe la poussière du changement, on voit émerger des organisations d'un nouveau type, des hybrides de l'ancien et du nouveau monde, comme si la transmutation s'était soudain arrêtée, au beau milieu d'une confusion qui tarde à se dissiper...

Amorcer un débat sur la transformation des organisations serait stérile si cela masquait l'essentiel : l'organisation est le fait des hommes, faut-il le rappeler. Les plus inventifs auront beau lui donner les formes les plus inattendues, lui attribuer les vertus les plus séduisantes, l'organisation continuera à être un reflet des interactions humaines. Et dans les pires moments, lorsqu'elle devient une chimère drapée dans l'imaginaire de celui qui la regarde, nous devons écouter la voix de la sagesse : l'organisation s'incarne à travers les personnes qui y prennent part, à travers les relations que ces personnes entretiennent avec d'autres. Il y a là un phénomène de transfert de projection, dont les conséquences sont importantes, surtout dans un contexte d'incertitude : attribuer à l'organisation une existence en soi, indépendante des personnes, équivaut à entretenir un mirage pour espérer ensuite le soumettre à notre volonté.

Si on veut diriger des hommes sans succomber à ce mirage, on doit chercher la source du véritable changement dans l'esprit même du porteur de la chimère. On ne peut exercer un leadership mobilisateur en croyant qu'une organisation a son autonomie propre, et encore moins en lui accordant plus de prix qu'aux personnes qui la rendent possible. Dès qu'on sacrifie les hommes à l'organisation-mirage, les efforts de changement sont voués à l'échec : ils sont happés dans le trou noir du quotidien et des habitudes, et se retournent au bout du compte contre les tentatives d'adaptation qu'ils devaient servir. Et, contre toute attente, il n'y a que les plus sceptiques pour refuser cette fatalité.

L'histoire du management est fort révélatrice à ce propos. On a beau implanter des cercles de qualité, redessiner les processus ou encore s'efforcer de transformer les modus vivendi en important les technologies les plus modernes, cela revient à mettre un cataplasme sur une jambe de bois si les modèles mentaux ne changent pas. C'est ainsi que tant de tentatives de changement avortent, entraînant la valse des modes managériales et le retour récurrent des gourous qui reprennent en cascade le même message sous un éclairage différent. Or l'organisation ne peut se transformer qu'à partir du moment où les personnes la voient et surtout la vivent d'une manière nouvelle. D'où l'intérêt actuel pour la transmutation du patron en coach, cet être mystique aux pouvoirs mystérieux, seul en mesure de s'élever au-dessus de la mêlée et d'engendrer dans son sillage une profonde transformation des mentalités. Malheureusement, bien des stratèges achètent plus volontiers le bric-à-brac des bonimenteurs qu'ils ne s'intéressent aux personnes qu'ils dirigent. Le management doit se réveiller : la chasse aux compétences est ouverte, et déjà résonne le son du cor.

La survie de la chimère est en jeu. L'évolution démographique des pays industrialisés annonce des jours sombres. Voilà les tendances lourdes qui se font d'ores et déjà sentir. En 2010, la majorité des leaders actuels auront rallié le camp des retraités, seront entrés dans des clubs de l'âge d'or. En un mot, les baby-boomers flirtent avec la retraite et l'évolution démographique laisse redouter le pire : non seulement une pénurie de leaders, mais aussi un profond déficit de main-d'œuvre spécialisée. Certains experts ont beau annoncer que tous les actifs ne partiront pas à la retraite faute de planification financière, le choc qui s'annonce ne sera au mieux que retardé ou atténué.

En Amérique du Nord, la chasse aux cerveaux a bel et bien commencé. Plusieurs organisations ont fait du recrutement de leurs nouveaux dirigeants une priorité stratégique, comme l'étaient naguère l'augmentation des profits et la réduction des coûts. Et en raison de la rareté des proies, leur discours se fait séducteur : fini le temps où on pouvait faire la fine bouche, nous sommes entrés dans l'ère du choix réciproque, des affinités électives. Recruter ne suffit plus. Tous les moyens sont bons pour attirer la matière grise, c'est le prix à payer pour rester concurrentiel, quand ce n'est pas déjà une question de survie. Pour preuve, le retour en force des retraités sur le marché de l'emploi et ces nombreuses entreprises qui s'efforcent de réintégrer leurs anciens sur une base contractuelle afin de combler leurs manques. Les mesures incitatives ne manquent pas.

Le vieillissement de la population active est une tendance lourde qui inquiète de plus en plus les hauts dirigeants. Quand la main-d'œuvre abondait, on pouvait se satisfaire d'une approche dans laquelle l'organisation s'imposait aux nouveaux venus. Cela avait peu de conséquences : la recrue n'était qu'une variable mineure dans l'équation. Bienheureux qui parvenait alors à dénicher un poste, fût-il précaire.

Mais les temps ont changé. La relève se fait rare et la concurrence est vive. Le petit nouveau ne se contente plus de se voir offrir un emploi : il revendique une carrière et un droit de regard, voire le dernier mot, sur son horaire de travail. Il est moins fidèle que ses prédécesseurs, met ses compétences aux enchères, pratique avec son employeur une sorte d'union libre… « Quelle ironie du sort ! » doivent penser les gourous, eux qui n'ont pas vu venir l'éclatement du couple au cours des dernières décennies, et encore moins cette nouvelle forme d'émancipation.

La nouvelle relation qui se dessine entre l'individu et l'organisation, et plus précisément entre l'individu et son management, a rendu obsolètes les stratégies d'autrefois. Combien d'entreprises ont sabré dans leur main-d'œuvre avec trop d'empressement et s'en mordent aujourd'hui les doigts ! Plus dramatique encore, l'évaluation et le développement du capital humain s'imposent aujourd'hui comme la clef de voûte du repérage et de la préparation de la relève de l'encadrement.

La course aux leaders de demain est le défi par excellence de ce début de millénaire. La donne a profondément changé et la plupart des stratèges qui s'enorgueillissaient de savoir si bien dégraisser les organisations sont à présent pris de court. Avec les départs massifs, c'est la mémoire de l'organisation qui s'érode. À l'inverse, c'est l'expérience qui fait cruellement défaut aux petits nouveaux, l'expérience et la volonté de mettre les bouchées doubles et, plus encore, de consacrer tout leur temps à la chimère… Ils ont d'autres valeurs et ne sont pas prêts à attendre indéfiniment qu'on daigne prendre en considération leurs aspirations.

Pour beaucoup de dirigeants, la prise de conscience est brutale. Nombre d'entre eux ont écouté la bonne parole des apôtres du changement qui les invitaient à sabrer dans le personnel de leur entreprise au nom du positionnement concurrentiel et de la rentabilité. On peut les comprendre : le vieillissement de la main-d'œuvre n'avait-il pas poussé les coûts en personnel vers des sommets jamais atteints ? Mais ces coupes aveugles et répétées ont créé un vacuum d'autant plus préoccupant que les départs à la retraite massifs, conséquence inévitable du vieillissement, mettent en péril la mémoire de l'organisation, fragilisent des relations d'affaires bien établies et menacent même des alliances naturelles...

Plus grave encore, l'afflux de sang neuf altère l'équilibre interne de l'organisation : on assiste à un véritable choc des cultures entre les « survivants » et les nouvelles recrues. Si la quête de leaders mobilisateurs est si intense, c'est parce que le tissu humain des organisations s'est brusquement déchiré. Et, dans certains cas, il n'est pas rare que les nouveaux se retrouvent rapidement plus nombreux que les anciens. Les projections les plus mesurées le confirment : l'organisation de demain sera intergénérationnelle. Quels en seront les effets, nul ne le sait exactement. Ce flou artistique pourrait bien avoir sa part d'obscurité : de quoi nourrir une inquiétude très légitime.

Jamais l'enjeu du potentiel humain n'avait été perçu aussi intensément. À côté de ce qui s'annonce, la chasse aux spécialistes suscitée par la peur du bogue de l'an 2000 prend des allures de camp d'entraînement ! La nouvelle donne impose une révolution des mentalités qui dépasse toutes les remises en question qui ont marqué l'économie depuis la Seconde Guerre mondiale. Pratiquement tous les secteurs d'activité sont touchés. Certaines organisations sollicitent très ouvertement l'aide de leurs retraités pour qu'ils reprennent du service comme consultants, et le temps n'est pas loin où on adoptera des mesures de rétention destinées à retarder l'heure de la retraite. Le centre de gravité du pouvoir s'est déplacé et les entreprises n'ont guère le choix : elles doivent composer avec des tendances démographiques qui ne se démentiront pas à court terme.

Les protestations des plus conservateurs n'y changeront rien, une nouvelle gestion des ressources humaines est nécessaire et le management devra s'y adapter. Ceux qui souriaient à l'expression « gestion des personnes » découvrent avec stupeur tout ce qu'il y avait d'implicite dans ce message : l'importance stratégique du potentiel humain, une dépendance de l'organisation vis-à-vis des hommes dont on se souciait peu jusque-là. C'est justement là que le bât blesse. Les ressources humaines ont changé de statut, sont soudainement passées du domaine des coûts à celui du capital. Mais c'est le dernier pas qui est plus difficile à franchir : les ressources humaines doivent devenir un investissement, certes, mais plus encore un bien précieux ! Et ce défi concerne autant une relève en mal de réussite immédiate que les leaders confirmés. Le virage est déjà amorcé, et gare aux sorties de route ! Ni les gourous ni les prophètes de malheur ne l'avaient prévu : leur silence est on ne peut plus éloquent.

Jeter les bases d'un changement de mentalité ne sera pas une mince affaire. Les leaders actuels et à venir devront apprendre à mettre les personnes au cœur de leurs préoccupations. C'est le seul choix qu'ils ont : l'or gris se moule difficilement. Les nostalgiques qui se contenteront de suivre les étapes rudimentaires des processus de recrutement classiques s'exposeront au risque de confondre l'essentiel et l'accessoire. Le point de mire s'est déplacé : c'est donc un regard neuf qu'il faut porter sur le management des personnes et, par conséquent, sur le changement à mettre en œuvre. C'est la première étape de la transformation des mentalités que devra franchir quiconque espère exercer un leadership mobilisateur. Voilà pourquoi le message central de cet ouvrage gravite autour de cette question cruciale : quels doivent être les repères fondamentaux de la gestion des personnes dans un contexte où les tendances démographiques changent la donne du tout au tout ?

Faut-il parler de changement du leadership ou de leadership du changement ? Les deux perspectives semblent intimement liées... Il est clair que la direction des entreprises devra gérer les hommes différemment, mais pour changer de cap il faudra bien que quelqu'un tienne le gouvernail. Le défi consistera à éviter le gaspillage, à apprendre à mener les hommes autrement, à faire de chaque individu une valeur ajoutée. Dans cette optique, peut-on se contenter de parler de gestion du changement ?

Comment orienter et mener à bien le changement ? Tout ce qui a déjà pu être dit sur ce thème, ou presque, s'efface progressivement devant une question plus fondamentale : comment réformer le management de l'or gris, le management des cerveaux ? Adopter cette perspective particulière amène à se préoccuper des dilemmes humains qui jalonnent la route du management des hommes, bien plus qu'à s'attarder aux questions liées à l'organisation-chimère. Le territoire à explorer n'est pas familier. Pour s'y aventurer, il faudra abandonner les constats dépassés, qui sont devenus autant de lieux communs inutilisables, et mettre de côté des théories qui ne tiennent plus la route.

Le défi a beau être nouveau, on dispose heureusement d'indices révélateurs de ce qu'il faudra faire. Les anecdotes éclairantes ne manquent pas. Les jalons commencent à apparaître. Tout au long du processus de changement, on pourra mettre à profit les confidences des gestionnaires qui tentent de relever le défi, autant d'informations précieuses qui dessinent les contours d'un univers à inventer. Leurs propos offrent un éclairage enrichissant sur le quotidien du leader moderne, sur la teneur humaine du changement. Ils nous en apprennent plus encore sur les défis que les théories habituelles ont souvent négligés, au point d'en faire des effets secondaires de la stratégie et de masquer ainsi leur rôle déterminant.

Pour mieux mettre en perspective ce nouveau défi, rappelons d'entrée de jeu à quel point la majeure partie du XXe siècle a été dominée par une vision particulière de l'organisation : l'organisation-machine. La métaphore de l'organisation en tant que système de production de biens ou de services a longtemps occupé l'avant-scène, charriant avec elle l'idée que les hommes étaient facilement substituables, et la clientèle illimitée. À l'inverse, le XXIe siècle s'annonce comme celui de l'art de la gestion des personnes dans un contexte économique où le client a repris une bonne partie du pouvoir et manifeste une infidélité de plus en plus criante.

De nos jours, on vend à ses risques des biens ou des services, et le client exige un contact direct et permanent avec un interlocuteur crédible. Il n'accepte plus d'être abandonné dans le labyrinthe des niveaux administratifs des bureaucraties sclérosées : il exige de parler à celui qui peut répondre à ses questions ou à celui qui est en mesure de régler son problème. Le déséquilibre entre ces exigences et la réalité est d'autant plus grand que la relève est rare et que sa formation reste trop souvent marquée au sceau de l'orthodoxie d'hier. Qui plus est, les nouvelles recrues, victimes de formations qui privilégient la spécialisation au détriment de la vision d'ensemble, et pour qui le monde du travail tient presque du parcours du combattant, sont beaucoup moins fidèles à leur employeur que leurs prédécesseurs.

En un mot, le contexte actuel dicte une nouvelle métaphore. L'organisation-machine est appelée à disparaître progressivement au profit de l'organisation humaine, ce qui ouvre la voie à un nouveau management, à un nouveau leadership. Le glissement a du reste déjà commencé. Qu'il soit question de ressources humaines ou de capital humain, on attribue de plus en plus de valeur à la matière grise : c'est la nouvelle denrée rare, l'or des temps modernes. Cet or gris est devenu l'avantage concurrentiel qui peut faire toute la différence. L'ère du management des compétences est arrivée, entraînant dans son sillage des bouleversements sans précédent pour les leaders actuels et à venir. Et, comme chacun le sait, au cœur de la tempête les places ne sont pas sûres, et certains risquent de passer par-dessus bord…

Faut-il crier au loup ?

En quoi le défi est-il si exceptionnel ? demanderont certains. Le changement sera toujours le changement, une étape pénible qui ébranle des fondations qu'on croyait solides, mais dont l'édifice sort au bout du compte renforcé, tout en en portant parfois les cicatrices. Ils n'ont pas tout à fait tort, le plus souvent rien ne bouge, et l'histoire leur a souvent donné raison. Quand furent créées les premières chaînes de production, elles eurent des effets tragiques pour les artisans. Dans la foulée de la production de masse, les cercles de qualité ébranlèrent les structures pyramidales, et les transformations furent tout aussi radicales. Bien des leaders perdirent leur royaume faute de s'être adaptés aux normes ISO. Et l'histoire se poursuit.

Puis sont venues la réingénierie des processus et les nouvelles technologies, des changements qui annonçaient la virtualisation des organisations à laquelle on assiste aujourd'hui, engendrant, eux aussi, leur lot de séismes au plus haut niveau de la direction et des structures des entreprises. Toutefois, signe des temps et paradoxe s'il en est, on présente maintenant le changement comme un phénomène permanent. Si tel est bien le cas, cela signifie que nous sommes entrés dans une course en avant qui traduit sans l'ombre d'un doute l'apparition d'un tout nouveau contexte pour le gestionnaire. Mais le défi est ailleurs, moins apparent et plus subtil.

Le rythme soutenu auquel se succèdent les changements contribue à brouiller les cartes, nous porte à croire que le changement est devenu une donnée, une préoccupation constante, et que c'est là que se situe le véritable enjeu. Le changement n'est plus perçu comme un événement isolé, dont il est possible de se remettre après avoir repris son souffle. De nos jours, gérer une organisation signifie gérer le changement, quand il ne s'agit pas purement et simplement de le provoquer. Avoir la responsabilité, la mission d'initier le changement : voilà une obligation nouvelle qui change toute la perspective.

Le leader se retrouve face à une organisation qui se comporte comme un homéostat, sans cesse engagé dans la recherche d'un équilibre plus avantageux, mais jamais définitif. Le leader ne peut plus se permettre de figer le processus sans s'exposer au risque d'être dépassé par les concurrents. Au contraire, il doit provoquer le mouvement et l'entretenir s'il veut garder l'initiative et obliger l'adversaire à rester sur la défensive. Voilà le nouveau credo : innover sans cesse est devenu la règle.

Et dans ce jeu marqué au sceau de l'incertitude, le leader moderne ressemble à s'y méprendre à un funambule ou à un jongleur. Il cherche constamment à garder ses troupes sur le qui-vive, à les mobiliser, à les motiver, tout en étant lui-même entraîné dans un ballet sans fin où l'innovation et la créativité remplacent les douces certitudes du plan de production et des machines bien huilées. Les anciens leitmotivs sont devenus caducs. Pour créer une valeur ajoutée, le leader est contraint de s'appuyer sur les personnes et de se fier à leur engagement, mais il réalise parfois à ses dépens combien il est mal préparé à relever ce nouveau défi : la gestion du potentiel humain dont il dispose. Et comme la relève se fait rare, l'individu prend de plus en plus de valeur, qu'il soit stratège ou employé.

Ce défi transforme profondément le rôle du leader : le succès repose de plus en plus sur son habileté à tirer parti des capacités des personnes, et non à utiliser tous les leviers traditionnels qu'il maîtrisait si bien. À l'image d'Ulysse approchant de l'île des Sirènes, il est conscient qu'il ne s'en sortira pas seul. Il doit s'entourer le mieux possible et surtout compter sur la présence de personnes plus compétentes que lui dans des domaines spécialisés dont les frontières lui paraissent plus floues. Mais, en contrepartie, c'est toujours lui qui est responsable de maintenir le cap, une fonction qui exige du doigté. Autant en convenir dès maintenant, pour remplir sa fonction il doit exercer un leadership qui n'a rien de traditionnel ; il lui faut jongler avec une organisation de plus en plus virtuelle, reposant sur une alchimie de cerveaux, qu'il doit regrouper autour d'un idéal et d'une vision commune du devenir de l'entreprise, elle-même sans cesse en mouvement.

La tâche est complexe pour celui qui, hier encore, considérait les ressources humaines comme une contrainte ou comme un obstacle au doux ronronnement de l'entreprise, comme une dépense et non comme son capital le plus précieux ! Et le défi se pose avec encore plus d'acuité aux leaders moins expérimentés, qui font leurs premiers pas dans un poste de direction. Mais ces jeunes dirigeants doivent faire face à un contexte implacable : ils ignorent de quel modèle ils peuvent s'inspirer, et les exemples ne sont pas légion.

Les nostalgiques du succès le déplorent : les temps où le héros incarnait à lui seul le triomphe d'une organisation sont révolus. La ruée vers l'or gris a de quoi frapper l'imagination, surtout lorsqu'on regarde de près les agissements de nouveaux chercheurs d'or. Ainsi, avant les événements tragiques du 11 septembre 2001, nos voisins américains ouvraient encore en grand les vannes de l'immigration dans l'intention avouée d'attirer les cerveaux étrangers, mettant pour ainsi dire l'or gris aux enchères, au détriment des pays qui n'avaient pas les moyens financiers de les concurrencer. Et ces derniers de constater avec stupeur que cette stratégie sapait chez eux tout espoir de bâtir une élite ou de se constituer une relève. Si l'exode des cerveaux n'est pas endigué, miser sur l'éducation devient une stratégie suicidaire pour ces pays moins nantis. Or, les inquiétudes d'hier n'ont rien à envier à celles d'aujourd'hui. Ce n'est plus seulement dans le domaine des séduisantes nouvelles technologies qu'on doit craindre de perdre aussi bien ses experts que sa relève : la ruée vers l'or gris est ouverte sur tous les fronts !

Cette crainte met en relief le rôle critique joué par les ressources humaines, tout en posant la question de leur fidélité à l'entreprise. Douloureux constat pour ceux qui avaient imaginé que la modernisation et la virtualisation des organisations briseraient la dépendance de ces dernières vis-à-vis du facteur humain. Là encore, la métaphore de la machine s'estompe : l'or gris lui résiste, il est capricieux…

Vers de nouveaux leaders

Les leaders ne peuvent plus se contenter d'imaginer comment faire mieux et plus avec moins, leitmotiv issu des principes de la qualité totale et de la réingénierie des processus. Ils doivent désormais s'évertuer à convaincre les gens de travailler avec eux, au sein d'une organisation dont les contours sont voués à rester flous, une organisation soumise à des changements incessants qui interdisent de promettre autre chose que des défis à relever. Mais quel profil ces nouveaux leaders doivent-ils avoir et quelles doivent être leurs compétences ? Le discours des organisations qui ont entrepris de renouveler leurs équipes de direction est éloquent sur ce point. Quatre compétences clés reviennent régulièrement dans les descriptions du nouveau type de leader auquel l'entreprise souhaite confier la gouverne, et partant son avenir.

En premier lieu, ce leader doit être à même de gérer la complexité et les paradoxes. Il est tout à fait naturel que les entreprises expriment un tel souhait dans un environnement soumis aux turbulences. Les bouleversements provoqués par les innovations et l'incertitude économique laissent peu de marges de manœuvre, ce qui suppose des leaders capables de s'adapter et de réagir aux circonstances, autrement dit de faire preuve de « réactique ». L'équilibre des entreprises est désormais plus éphémère et tient souvent à peu de choses. La cohérence stratégique de l'ensemble des décisions des différents stratèges de l'organisation est souvent remise en question en raison de leur asynchronie. Dans un contexte marqué par l'instabilité, il est souvent difficile et pénible d'harmoniser ces décisions, comme si la machine s'enrayait face à la rapidité de certaines mutations. Le rythme du changement est difficile à soutenir. Comme le soulignait un cadre aux prises avec une révision des processus conseils de son entreprise :

> Les gens rechignent à l'idée de travailler en équipe, car notre système de rémunération n'a pas encore été ajusté ; nous en sommes toujours

aux primes individuelles. Or, nous ne savons ni comment ni quand la direction entend régler cette question qui conditionne une révision complète de nos pratiques.

Ironie du sort, la machine s'est emballée, et le pilote ne la contrôle plus... Les leaders qui assumeront la relève doivent par conséquent faire preuve d'autres qualités.

Deuxième attente des entreprises : mettre la main sur un leader mobilisateur. Elles recherchent le leader qui saura mobiliser les troupes autour d'un idéal, souvent de nature uniquement financière, et qui les incitera, dans son sillage, à se surpasser pour l'atteindre, comme si leur bonheur et leur existence en dépendaient. Face au défi que constitue une course à l'innovation qui ne semble pas devoir ralentir et face au besoin de renouveler son personnel, la haute direction de l'entreprise ne peut plus se payer le luxe d'entretenir de simples administrateurs de systèmes. Elle a besoin de meneurs d'hommes exceptionnels, qui comprennent l'importance stratégique des personnes et de leur potentiel. Urgence oblige, l'organisation est en quête de leaders capables d'harmoniser les rapports humains, de créer un climat de travail dans lequel les personnes pourront épanouir tout leur potentiel... sans pour autant négliger d'atteindre les objectifs qui leur sont fixés. Mais le défi est de taille, et rares sont ceux qui peuvent garder la tête froide sous la pression, parfois démesurée, des résultats à atteindre.

Actuellement, bien des cadres appréhendent à juste titre l'ampleur du défi humain qui s'ajoute ainsi à leur fardeau. Et leurs réactions sont parfois vives :

> On me demande de réduire les coûts de mon service de 20 %, dit le directeur d'un centre hospitalier de longue durée, où vais-je trouver ces 20 % si les coûts du personnel représentent 85 % de mon budget, alors que les cas que nous traitons sont de plus en plus lourds à cause du vieillissement de la population ? Si je réduis le personnel, j'aurai tous les chefs de service dans mon bureau demain matin !

L'anecdote est révélatrice de la quadrature du cercle que doivent résoudre nombre de managers, et du désarroi qui en résulte. Ils ne savent plus à quel saint se vouer, et pour cause : ils sont seuls à la barre et craignent de voir les matelots abandonner le navire.

Troisième compétence souhaitée chez le nouveau leader : il doit être capable de mobiliser ses troupes pour en faire plus avec des moyens réduits ou, mieux encore, pour arriver à des résultats supérieurs en empruntant d'autres voies. Aux yeux des cadres, la tâche tient du tour de force lorsqu'elle est assortie d'une interdiction de tout déficit, comme c'est le cas au Québec dans le secteur sensible de la santé et des services sociaux. Cette troisième compétence clé est sans équivoque : le leader doit assurer une gestion irréprochable, dans le but d'atteindre un large éventail de résultats, notamment financiers. Sans que cela soit écrit noir sur blanc, cette attente signifie aussi que le leader doit faire preuve d'une habileté exemplaire lorsqu'il utilise des tableaux de bord de gestion, mais, plus insidieux encore, qu'il doit avoir les aptitudes nécessaires pour négocier des solutions avec une multitude de partenaires, internes et externes. Une telle exigence va au-delà des limites traditionnelles dans lesquelles le leader exerçait ses fonctions : elle abolit les frontières physiques de l'organisation. Les frontières de l'organisation deviennent virtuelles, ce qui accroît d'autant les difficultés pour le leader. Songeons aux différentes corporations professionnelles qui gravitent autour du réseau de la santé et des services sociaux, à la multiplicité des syndicats en présence, aux différentes associations qui regroupent cadres et professionnels – autant de paramètres qui donnent la mesure de la complexité du défi lancé aux vieux routiers comme aux jeunes cadres. Le défi est de taille et a de quoi donner le vertige.

Comme si cela ne suffisait pas, le profil de ce nouveau leader comporte une quatrième composante qui a trait à la gestion de soi et à l'équilibre personnel. Bref, il doit avoir une hygiène de vie exceptionnelle : il doit non seulement être en forme, mais aussi être capable de le rester. Le programme est chargé. Garder son équilibre au cœur de turbulences incessantes, écouter en toute sérénité les réactions bien compréhensibles des employés qui ne savent plus où donner de la tête, cerner les priorités et y consacrer toutes ses énergies, tout en évitant de sombrer dans l'épuisement : il y a de quoi décourager les plus dévoués... Et l'inquiétude est légitime. L'épuisement professionnel fait des ravages, il suffit de consulter les recherches consacrées à la détresse psychologique pour le constater. Ce nouvel univers est tout sauf rassurant, mais il n'est pas négociable !

L'ampleur de la tâche est considérable. Comme certains signes le confirment, nous assistons à une course folle à la productivité reposant sur l'ajout de nouveaux moyens, et surtout de moyens plus modernes. Mais d'autres constats laissent penser que cette voie serait trompeuse et renforcent une autre hypothèse : ajouter des moyens ne suffira pas, le management des personnes, des compétences s'impose. Pour ceux qui côtoient les dirigeants, il est clair qu'ils font face à une crise tout à fait inhabituelle. Plusieurs hauts dirigeants le confessent en termes à peine voilés : le management des personnes leur pose un sérieux problème.

« Nous avons toute la technologie nécessaire pour être les premiers ; notre pierre d'achoppement est qu'on n'arrive pas à persuader nos gens d'en tirer le maximum ! » C'est en ces termes que les dirigeants d'une usine déplorent qu'elle tourne seulement à 75 % ou à 80 % de sa capacité, admettant du même coup la nécessité de conclure un nouveau pacte avec leurs partenaires internes. La situation n'est guère plus reluisante dans le secteur des services. Les cadres se plaignent que leurs unités fonctionnent en vase clos, « en silo », tout en reconnaissant parfois naïvement qu'ils en sont en bonne partie responsables, quand ils ne se livrent pas eux-mêmes aux mêmes pratiques... Les solutions d'hier ne suffisent plus.

Ces confessions spontanées sont intéressantes et très révélatrices. Au bout du compte, les dirigeants se rendent progressivement compte que le petit plus qui ferait toute la différence repose sur une ressource complexe et difficile à utiliser : les personnes, et non sur l'ajout de nouveaux moyens si modernes soient-ils. Malheureusement, les leaders bien préparés à relever un tel défi sont rares. La situation les inquiète au plus haut point, surtout quand ils constatent qu'ils sont eux-mêmes en bonne partie responsables du contexte qu'ils déplorent. Ils se sentent piégés, et à juste titre.

À la décharge des cadres actuels, précisons qu'ils ne sont pas les seuls à être pris à contre-pied... Les programmes de formation à la gestion accusent un retard marqué, malgré tous les efforts consentis pour les moderniser au cours des dernières années. Il suffit d'analyser la part des programmes consacrée aux aspects humains du métier pour en prendre la mesure : la plupart des MBA ne se sont toujours pas libérés de la métaphore de la machine. Quant aux gourous, si habiles à lancer des modes éphémères, leur style n'a guère évolué en dépit du contexte, et les plus connus se sont même reconvertis en conférenciers de haut vol, qui vendent à des prix exorbitants des prestations dont il vaudrait mieux ne pas évaluer le retour sur investissement.

Ni les conférences express des gourous ni les capsules magiques des groupes de consultants ne parviendront à colmater la brèche : c'est trop peu et trop vite, elles ne font pas le poids ! L'expérience le confirme cruellement, les mentalités et les pratiques de gestion n'évoluent pas au rythme promis par ces magiciens qui assurent les dirigeants d'entreprise qu'ils maîtriseront, en quelques rencontres intensives, le grimoire secret contenant toutes les clés du management des personnes. Il est d'autant plus facile d'en douter que chaque magicien prétend ne révéler ses secrets qu'à de rares privilégiés… À la décharge des gourous, précisons qu'ils ne sont pas porteurs de tous les vices, et que la plupart des entreprises se satisfont de cette formation homéopathique et hésitent encore à sauter le pas du court terme ou du prêt-à-porter. Leur approche pour le moins naïve de la question les rend vulnérables : le marché de la conférence choc ou de la consultation capsule dont vivent les marchands de rêves peut ainsi prospérer.

Et les marchands de rêves tirent d'autant mieux leur épingle du jeu que les dirigeants ont des difficultés à affronter l'urgence sans succomber au mythe profondément enraciné dans leur subconscient : le mythe du héros solitaire. Malheureusement, aujourd'hui encore, une forte majorité des décideurs croient à ce mythe. Ils rêvent d'être, ou à tout le moins de découvrir, cette perle rare au charisme irrésistible, ce héros à l'intellect supérieur qui s'impose aux autres et les soumet aux nécessités de l'organisation. Et la situation est exacerbée par le réflexe des plus inquiets d'entre eux, qui espèrent toujours sauver la mise en contrôlant l'information ou en dictant leurs vues dans l'espoir de protéger leur statut.

Tôt ou tard, les dirigeants seront contraints de se conformer à ce qu'ils exigent des autres : faire preuve d'innovation, de créativité, d'adaptation. Mais ils devront surtout accepter de s'ouvrir à ce qui constitue la compétence propre de leurs partenaires. Cette attitude suppose à la fois une volonté ferme de concilier les expertises en présence et une humilité face aux circonstances. Et l'humilité jure avec le mythe du héros solitaire qui habite leur imaginaire depuis l'enfance...

Ce tour d'horizon laisse songeur tant les conclusions qu'on peut en tirer sortent de l'ordinaire. Pour le leader de demain, le succès reposera d'abord sur une juste lecture des potentiels humains dont il est responsable ; il tiendra aussi à son habileté à libérer les cerveaux des entraves passées qui les réduisaient à de simples paramètres qu'on pouvait contourner en améliorant des processus ou en introduisant une technologie révolutionnaire. En termes plus crus, l'entreprise ne pourra plus faire fi de l'intelligence...

Le nouveau leader trouvera en elle son meilleur allié, et non un rival menaçant son royaume. Et si la chasse aux cerveaux est lancée, la sagesse la plus élémentaire dicte aux leaders de regarder d'abord autour d'eux et de vérifier si, par hasard, les perles rares si convoitées ne se trouvent pas déjà à portée de main ! L'or gris est devenu l'étalon de la capacité concurrentielle. Le succès dépendra de l'habileté des dirigeants à exercer un nouveau management, car la nouvelle économie se nourrit de l'or gris. L'ère du management du potentiel humain a sonné, mais le défi est heureusement le même pour tous.

2

La quête de l'or gris

Selon la règle d'or bien connue, la culture des organisations d'hier prescrivait aux leaders de garder leurs distances vis-à-vis de leur personnel afin de maintenir une nécessaire autorité. Cette prescription n'est pas étrangère au malaise que ressentent actuellement certains dirigeants, longtemps habitués à la respecter scrupuleusement et même à en tirer quelque gloire dans les salons. Or, en jouant ainsi aux héros solitaires, ces dirigeants se sont automatiquement coupés de leurs troupes, tout en se privant d'informations stratégiques de premier plan.

Quand la compétence humaine devient l'avantage concurrentiel déterminant, il est évident qu'on ne peut la mettre à profit qu'à condition d'avoir une connaissance approfondie des personnes qui nous entourent. En se confinant dans l'isolement rassurant du pouvoir, cet asile privilégié des leaders d'autrefois, la plupart des dirigeants se sont condamnés à jongler avec leur main-d'œuvre les yeux fermés, tels des aveugles privés de leur chien guide. L'affirmation risque de heurter des susceptibilités. Elle laisse entendre que certains leaders ont ainsi fait eux-mêmes leur propre malheur en se glissant dans le confort de l'isolement. Au-delà de l'impertinence de l'énoncé, un doute raisonnable persiste. Mais l'hypothèse est plausible, comme le laissent penser plusieurs témoignages de cadres expérimentés qui abordent eux-mêmes la question en toute transparence.

Plusieurs dirigeants le confessent dans l'intimité de leur bureau et même lors de rencontres publiques. Ils ont été conditionnés à penser qu'ils faisaient preuve d'une grande sagesse et d'une prudence élémentaire en maintenant une distance avec leurs subalternes. Cette attitude leur ménageait sans doute une oasis de tranquillité lorsqu'ils devaient prendre des décisions délicates mettant en cause leur personnel. Ils pouvaient trancher allègrement la question sans être cloués au pilori par leurs troupes. Tout se jouait derrière les rideaux. Toutefois, avec le recul et avec le temps, un constat s'impose même aux plus grands défenseurs du secret des dieux : de nos jours, une telle pratique équivaut à céder son droit d'aînesse pour un plat de lentilles ! Le jeu n'en vaut pas la chandelle.

L'évidence frappe de plein fouet les plus récalcitrants. Maintenir cette distance protectrice prive en retour d'une connaissance plus approfondie des capacités humaines dont dispose l'organisation et laisse les dirigeants fort dépourvus quand vient la bise du changement et les turbulences qui l'accompagnent. En quelques mots, les héros solitaires l'admettent en sourdine : impossible de savoir sur qui on peut compter au moment critique quand tous les visages sont anonymes. Au moment du choix, l'incertitude est le prix de l'ignorance. À leur décharge, les leaders étaient toutefois fortement encouragés à agir ainsi, à maintenir cette distance, par des facteurs déterminants, consubstantiels à l'organisation-machine. L'organisation-machine, cette métaphore par excellence de l'ère industrielle, dont un des traits distinctifs tenait à une structure fortement hiérarchisée et cloisonnée, continue à hanter la réalité, et c'est là l'origine de cette attitude.

Les traces du cloisonnement sont encore bien présentes dans les organisations où des unités refermées sur elles-mêmes, fonctionnant en vase clos, se livrent à une vive concurrence interne. Il suffit de jeter un œil sur les entreprises des années 1970 à 1980 pour voir les effets évidents de cette métaphore. Au cours de cette période, les organisations se caractérisaient pour l'essentiel par des structures pyramidales figées, dans lesquelles la hiérarchie et la culture des relations du travail repoussaient la question de la compétence humaine jusqu'aux frontières du négligeable. Le principe de l'ancienneté était souvent le maître mot dans le processus de prise de décision en matière de gestion des ressources humaines, du moins pour ce qui concernait la base, alors qu'aux plus hauts niveaux c'était le règne de l'esprit de caste. Par définition, les règles du jeu interdisaient qu'on puisse confier des responsabilités clés à une personne que sa position dans l'entreprise apparentait à une autre caste ; à cette époque, même les employés auraient vu d'un mauvais œil une pratique aussi sacrilège. Les frontières étaient imperméables.

Cette mise en scène quotidienne de l'autorité formelle avait une contrepartie : l'attitude des employés laissait peu de marge de manœuvre aux dirigeants. Elle cristallisait la distance prise par les leaders de l'entreprise. Tout au long de cette période, rares étaient ceux qui osaient défier le dogme, même s'ils ne croyaient pas pour autant que le statut et la compétence étaient parfaitement synonymes. Et quand la direction se compromettait en transgressant la règle, plusieurs années s'écoulaient avant que l'employé promu au rang de cadre soit véritablement reconnu par tous comme occupant son nouveau rôle en toute légitimité. Bref, les attitudes des uns allaient de pair avec celles des autres.

L'arrivée de l'économie du savoir et la chasse aux cerveaux qui la caractérise ont remis en question le dogme. Elles ont contribué à transformer la compétence humaine en or gris. La quête de cette richesse rare est devenue un enjeu stratégique. De nos jours, l'innovation, la créativité et la capacité d'adaptation sont au cœur d'une nouvelle vision du management qui suppose un changement de mentalité de la part non seulement des leaders, mais aussi de l'ensemble des membres de l'organisation. Le rôle clé des compétences propulse le management des personnes à un degré de complexité inattendu : il doit s'exercer dans une toute nouvelle culture d'entreprise, elle-même à créer. Et dans le nouvel univers qui se fait jour, la poursuite de l'excellence est tributaire de la chimie des intelligences. Alors qu'apparaît une nouvelle métaphore et que s'annonce une nouvelle aventure, force est de constater que les alchimistes sont légion et que les spécialistes des ressources humaines en sont restés à une approche nettement en retard sur leur temps. Douloureux constat qui assombrit le tableau. Tout reste à faire.

Les paradigmes boiteux qui déteignent aujourd'hui encore sur les stratégies de gestion des ressources humaines trahissent l'agonie de l'organisation-machine et le malaise qui en résulte. Certes, les gourous d'un jour ont péché par manque de vision : ils ont négligé les conséquences de l'évolution démographique ou ne les ont tout simplement pas prévues. Mais que dire des directeurs des ressources humaines ? Étaient-ils, eux aussi, hors du coup ou a-t-on ignoré leurs avertissements ? Combien d'entre eux tenaient à jour leurs plans d'effectifs et prenaient le temps de les analyser dans une perspective prévisionnelle? La question se pose… S'ils sont décontenancés par les événements, les accabler n'a pas plus de sens que de condamner ces gourous devenus soudain silencieux. Les racines du mal plongent dans des traditions bien plus profondes.

Dans l'organisation traditionnelle, la progression professionnelle dépendait de la compétence individuelle, en principe du moins, car tout se déroulait inévitablement sur un fond de politique interne. N'en déplaise aux cœurs sensibles, le club sélect de la direction reflétait plus une élite sociale contrôlant le capital qu'une élite des compétences. Mais voilà, les exigences de la nouvelle économie modifient la donne. Elles transforment progressivement l'espace concurrentiel. Il ne suffit plus de contrôler le capital et d'appartenir à la caste dominante. L'entreprise dépend de plus en plus de l'or gris, et l'exploitation de cette richesse obéit à d'autres règles. Et c'est bien là que le bât blesse… L'expertise des anciens gourous convenait fort bien à l'environnement d'hier, comme celle des responsables des ressources humaines était adaptée à leur rôle. Mais la mutation du contexte en a fait une réalité caduque. Nul n'avait prévu pareille conjoncture.

Avec la complexité croissante des organisations, la chimie des expertises est devenue une donnée clé, une nécessité. Elle entraîne dans sa foulée une mutation du rôle des gestionnaires à qui s'impose de plus en plus cet impératif: ils doivent passer de la conduite de la machine à la conduite des hommes, dont la machine dépend maintenant si intensément. Traduction inévitable de cette obligation, les leaders doivent désormais avoir un profil de compétences fort différent. On commence à peine à en trouver des traces notables dans les programmes de formation des MBA, encore en grande partie soumis à l'ancienne métaphore. Autant dire que tous et chacun ont du retard à rattraper.

Le mythe des compétences durables

Le virage s'est amorcé brutalement. Secouée par le changement de cap, l'entreprise cherche désespérément des leaders en mesure de créer des ponts entre des spécialités fondées sur des visions souvent aux antipodes les unes des autres et entre des experts tout aussi malmenés par la vitesse à laquelle leur discipline évolue. L'importance stratégique d'une compétence disciplinaire donnée disparaît parfois brusquement, ce qui repousse dans l'ombre le héros d'hier. Alliances, fusions, reconfigurations, impartition, tout contribue au remodelage continu du métier de l'entreprise et de ses hommes, et cette transformation s'effectue selon des cycles beaucoup plus courts et à un rythme imprévisible. Les dirigeants étaient habitués à avoir des moments de répit entre deux zones de turbulence. Ce temps est révolu.

Un véritable bras de fer s'est engagé entre des dirigeants ébranlés sur leurs bases et un environnement en mutation continue. D'où la quête inévitable de personnes créatives, stimulées par l'innovation, adaptables et capables de développer leurs compétences tout au long de leur vie. Un portrait-robot des plus exigeants quel que soit le poste à pourvoir, et qui ne correspond pas à la mission confiée aux services des ressources humaines d'hier. L'organisation humaine s'impose de plus en plus à la machine. Quand le changement devient une constante, espérer répondre à ses besoins une fois pour toutes tient de l'utopie. Le nouvel univers sonne le glas du mythe de la compétence durable…

Pourtant, le caractère éphémère de certaines compétences ne devrait pas surprendre outre mesure. Il y a à peine vingt ans, les ordinateurs personnels envahissaient les lieux de travail et venaient bouleverser les habitudes et les façons de faire. Aujourd'hui, Internet tue à petit feu deux credo traditionnels du marketing : la localisation physique et le réseau de distribution de l'entreprise sont redéfinis par le Web. La toile électronique impose maintenant aux fournisseurs de gérer l'inventaire de leurs clients, eux-mêmes soumis aux choix des consommateurs, en se conformant à la règle du juste-à-temps qui interdit tout stock inutile.

De la même manière, toute une série d'outils et de tâches liés à la comptabilité de l'entreprise ont disparu il y a quelques années : l'arrivée des ordinateurs a mis fin au règne rassurant des grands livres tenus par les clercs. Dès lors, y a-t-il lieu de s'étonner que la gestion des personnes, des cerveaux et des compétences relègue peu à peu aux oubliettes les anciens credo de l'orthodoxie ? Mais tout n'est pas joué, loin s'en faut. La mutation est à peine amorcée, et il faudra bien s'y faire tout en conservant le sens de la nuance.

Malgré le sentiment d'urgence qu'inspire l'économie du savoir, la compétence tarde à s'imposer comme le facteur déterminant de la progression professionnelle. Les vieilles pratiques ont la vie dure. Inversement, les premiers efforts timides consentis pour valoriser la compétence ne renforcent pas le sentiment d'appartenance à l'entreprise. La nouvelle relation entre l'individu et l'organisation est encore à forger. De toute évidence, pour le moment, même si la valeur stratégique de la compétence ne peut plus être ignorée, bon nombre de jeunes cerveaux mènent actuellement une vie de nomades. Ils errent d'une organisation à l'autre dans un univers où le management est aux prises avec un changement de culture que les leaders en poste ont de la peine à traduire dans les faits.

Funeste sort que celui réservé aux dirigeants par ce nouvel environnement : les changements qui étaient normalement réservés aux niveaux hiérarchiques inférieurs ébranlent désormais les plus hauts sommets de la structure pyramidale. Ils contribuent à la remise en cause des priorités habituelles et touchent la définition même du rôle des dirigeants. De tels bouleversements ne sont guère familiers aux dirigeants, et la nécessité de séduire ces jeunes cerveaux indépendants l'est moins encore. Vendre l'idée du management des compétences est une chose, l'organiser en est une autre. Les repères restent obscurs et la relève se fait capricieuse.

L'enjeu du management de l'or gris soulève des questions difficiles à résoudre pour le leader traditionnel, qui est face à des choix déchirants. Le premier élément critique réside dans le défi consistant à discerner qui détient les compétences recherchées et qui saura soutenir l'organisation lorsqu'elle devra surmonter les obstacles qui jalonnent sa route. Pour y parvenir, le leader doit rompre avec son isolement et renoncer à la sécurité faussement rassurante qu'il trouvait derrière ses portes closes. Emprunter cette voie implique d'autres décisions qui accroissent son inconfort. Il doit faire montre de nouvelles expertises, et notamment maîtriser l'art d'évaluer avec justesse le potentiel de ses partenaires. Franchir ce cap est nécessaire, mais pas suffisant.

Second défi à relever : le leader doit assurer le développement des compétences chez les personnes dont il s'entoure. Les choisir est une chose, mais il lui faut aussi faire preuve de beaucoup de finesse dans ce choix. Faire fructifier les compétences exige de la patience. Et en raison de la rareté de la relève, ce défi passe vite au premier plan dès qu'on a découvert la perle rare. En revanche, cette tâche n'est plus réservée aux seuls spécialistes des ressources humaines, à qui on la déléguait autrefois avec un brin de désinvolture. Il faut mettre soi-même la main à la pâte. Cette implication plus directe dérange l'ordre établi, impose un étroit partenariat.

La quête de la perle rare n'est plus la chasse gardée de la direction des ressources humaines, même si certains s'acharnent à défendre leur ancien territoire. Cette quête devient une responsabilité collective de l'équipe de direction et, à ce titre, remet en question les frontières artificielles qui protégeaient les spécialistes des ressources humaines. Tous ne sont pas aussi bien préparés au défi que présente la prise en charge collective de l'or gris. Il y a loin de la coupe aux lèvres. D'autres zones de turbulence affectent les dirigeants : les frontières physiques qui séparaient les fonctions se virtualisent, s'estompent.

Ce défi plus subtil heurte de plein fouet les mentalités et ne concerne pas seulement les services des ressources humaines. Les transformations sont si profondes que même les frontières physiques traditionnelles de l'organisation s'estompent, à l'image de celles qui existaient entre les anciennes chasses gardées. Alliances stratégiques, réseautage, impartition, gestion par projet, autant de phénomènes qui sont désormais le lot quotidien des dirigeants et qui déteignent sur les stratégies d'adaptation mises de l'avant souvent plus par nécessité que par choix. Et dans la foulée de ces mutations, le management des compétences se traduit par l'irruption brutale des paradoxes dans la conception de l'entreprise, remettant en cause la vision de l'organisation à laquelle étaient habitués aussi bien les leaders que les employés.

De l'expertise du pilotage au pilotage de l'expertise

La complexité et la diversité des projets qui surgissent produisent rapidement des bouleversements dans le pilotage de l'organisation. Ainsi s'impose tout à coup la nécessité d'introduire dans la culture de l'organisation de nouvelles approches de gestion compatibles avec la mobilité du leadership et conformes aux exigences d'une situation pouvant évoluer de manière imprévisible, comme s'en rendent compte les spécialistes qui voient leur fonction voler en éclats.

Il n'y a rien là de bien rassurant pour les patrons, ni même pour les employés. Perçus comme contre-nature, les nouveaux modes de fonctionnement heurtent les convictions les plus profondes et, surtout, entrent en contradiction avec les pratiques bien ancrées du management traditionnel et du raisonnement « en silo ». Ils risquent en outre d'entraîner une profonde redéfinition du rôle des gestionnaires, qui devront répondre à ces nouvelles exigences en adoptant des attitudes beaucoup plus souples et en faisant preuve d'une ouverture d'esprit exemplaire. Plus important encore, cette redéfinition implique implicitement qu'ils devront désormais avoir un profil de compétences très différent... Leur expertise est remise en question. La mutation de leur contexte doit s'accompagner de leur propre mutation.

Une telle affirmation n'a rien pour surprendre. Le premier obstacle au management des compétences réside dans la logique même de l'organisation-machine. Dans cette approche mécaniste, on consacrait souvent la compétence d'un individu en le nommant à un poste de direction. C'était là la récompense suprême. Mais la promotion allait de pair avec cette croyance pernicieuse, issue des pratiques, qu'on ne redescend pas, qu'on ne fait que monter. Or, tous les bouleversements que nous avons évoqués remettent en question cette conception : désormais la réussite n'est plus acquise une fois pour toutes. Tout n'est plus coulé dans le béton.

Dans ce contexte de mutation, chacun peut trembler pour son poste. L'idée d'une mobilité du leadership s'apparente à une hérésie laissant planer la menace constante d'une rétrogradation, d'une *démotion*. Concevoir l'organisation comme une structure à géométrie variable, dépourvue de la stabilité d'antan, cadre mal avec l'idée selon laquelle une carrière consiste à aller toujours plus haut ! Le caractère mouvant de la structure contredit la représentation mentale du succès aujourd'hui encore bien présente chez la plupart des individus. Certes, il arrive que certains quittent d'eux-mêmes leur poste. Mais dès lors qu'on y est contraint, cela laisse le goût d'une rétrogradation et cela est très pénible à vivre.

De nombreux témoignages permettent de saisir toute la distance qui sépare encore l'ancienne et la nouvelle vision de la carrière. Comment peut-on imaginer vivre dans une organisation où le leadership se déplace au gré des différents défis ? L'idée dérange ceux qui sont victimes de cette instabilité, autant que leur entourage immédiat qui réagit en recourant à la bonne vieille solidarité. L'anecdote qui suit traduit bien à quel point les mentalités demeurent figées dans la tradition.

À son retour de congé, un cadre soigné pour une grave maladie se voit offrir l'assistance d'un adjoint qu'il réclamait sans succès depuis quelques années déjà. La réduction draconienne des effectifs avait selon lui contribué à alourdir sa tâche jusqu'aux limites du déraisonnable, et il considérait donc que sa demande était légitime. Normalement, avoir eu gain de cause aurait dû le satisfaire. Mais il se préoccupait désormais davantage de sa santé et était conscient de l'usure du temps : il avait changé. Tirant les leçons de l'expérience, il aspirait maintenant à des responsabilités moins lourdes.

En un mot, il espérait céder son poste afin d'avoir un meilleur équilibre de vie. Il y voyait l'occasion rêvée d'échapper à la pression du quotidien et de se soustraire au stress constant que lui imposait son ancienne fonction. Sa demande provoqua un tollé aux plus hauts sommets de la hiérarchie. La direction résista, fuyant comme la peste toute discussion, la repoussant toujours à un moment ultérieur. La demande de ce cadre paraissait insensée, prématurée. Mais il persista dans sa démarche et, au fil des discussions qui se tinrent finalement dans l'intimité de bureaux aux portes closes, il finit par déduire les motifs pour lesquels on lui opposait une telle résistance.

Il était naturel que ses collègues de la direction s'interrogent sur une décision qui remettait en question une carrière jusque-là réussie, surtout au moment où, pleins de contrition, ils accédaient enfin à sa demande d'avoir un adjoint. L'argument se tenait. Mais ce n'était là que la partie émergée de l'iceberg. D'autres motifs entraient en ligne de compte, qui lui apparaissaient soudain plus évidents. Il s'aventura à soulever la question, le chat sortit finalement du sac un peu embarrassé. La haute direction craignait ce retour en arrière. Elle redoutait les réactions de l'entourage, qui pourrait l'accuser d'abuser de la situation. Et elle n'avait pas tout à fait tort, loin de là.

Résolu à ne pas entrer dans ce jeu, le cadre prit son bâton de pèlerin et fit une tournée informelle de ses anciens collaborateurs pour les informer lui-même de ses intentions. Son objectif était de dissiper les doutes que pouvaient nourrir ses supérieurs. Il expliqua clairement à ses collègues qu'il souhaitait reprendre le travail, mais pas ses anciennes fonctions. Quelle ne fut pas sa surprise en constatant que leur réaction était tout aussi vive !

À quelques nuances près, ses collègues lui manifestèrent leur solidarité, tout en lui rétorquant : « Ne te laisse pas faire, ils n'ont pas le droit d'agir ainsi à ton endroit. Bien que tu t'en défendes, nous comprenons ta situation, et nous voyons bien qu'il n'est pas facile de se voir montrer la sortie. » Déconcerté par l'inefficacité de sa démarche et par cet appel à peine voilé à la révolte, il dut reconnaître que les craintes de la haute direction étaient bien fondées. Il renonça et reprit ses anciennes fonctions. Aujourd'hui, il s'amuse encore des réactions provoquées par sa requête et confesse être passé maître dans l'art de la délégation. Après tout, avec un adjoint, il constate qu'il s'en tire avec élégance.

L'anecdote est intéressante à bien des égards, mais elle révèle surtout combien la mobilité du leadership heurte des convictions biens ancrées. Les pressions exercées par les collègues de ce cadre confortent l'hypothèse selon laquelle, dans bien des esprits, la réussite fait encore mauvais ménage avec toute forme de recul, pour ne pas dire qu'elle s'oppose totalement à cette possibilité. Réussir sa carrière signifie gravir les échelons. Reculer, c'est échouer !

Qu'importent les grands débats sur la planétarisation de l'économie si, dans le même temps, les modèles mentaux demeurent figés ? La question paraît aller de soi, mais l'histoire nous apprend que les modèles mentaux évoluent toujours avec un peu de retard. Tel semble bien être le cas, et il est normal que le défi soit de taille : les compétences ont beau être devenues un facteur critique, il faudra encore du temps avant que le pilotage de l'entreprise s'y ajuste. La pilule sera difficile à avaler.

Les vieux loups de mer de la gestion ont un point de vue intéressant sur le temps que prend le changement. Ils concluent de leur expérience que les transformations profondes, les véritables changements se concrétisent au rythme de cette lente évolution des modèles mentaux. Le phénomène leur inspire une certaine philosophie de la vie : dans quelque domaine que ce soit, le changement demeure et demeurera toujours un défi exigeant patience et longueur de temps.

D'intuition, ces gestionnaires expérimentés adopteront une attitude sereine face aux signes de résistance. Ils pourraient souligner avec sagesse que l'individu préfère assimiler toute situation inédite à ce qui lui est déjà familier, plutôt que de s'accommoder de l'inconnu. Plus terre-à-terre, ils se contentent de répéter : chassez le naturel, il revient au galop ! Lorsqu'un changement survient, le réflexe le plus naturel est de recourir aux comportements qui ont fait leurs preuves dans le passé, au lieu d'en adopter de nouveaux.

Au risque de se tromper ou de se sentir incompétent, lorsqu'un obstacle se présente, l'individu préfère choisir la voie de la prudence. Ce réflexe d'assimilation induit malheureusement l'inverse de l'effet souhaité. Tant d'énergie dépensée en vain pour ramener à la normale une situation qui justement ne l'est pas ! Les solutions d'hier valaient pour les situations d'hier, mais, pour l'organisation, les appliquer aujourd'hui contribue à rendre la route du changement plus ardue. Il en va de même pour ce qui est de l'émergence d'un nouveau management. Les managers ne font pas exception à la règle et, comme les autres, préfèrent un problème familier à une solution qui risque de les propulser dans l'inconnu.

La quête de l'or gris fait entrer les leaders de demain dans un univers qui leur est peu familier. Le management des compétences devient un défi essentiel car il les place au cœur de la mutation : le management doit se réveiller. Voilà qui traduit la difficulté du virage qu'il leur faut négocier. Il est hors de doute qu'aux yeux des leaders utiliser judicieusement le potentiel humain est une orientation dont les vertus vont de soi. Mais il existe aussi, en arrière-plan, le risque de provoquer l'éclatement des structures hiérarchiques, ce qui ravive les craintes d'un faux mouvement, d'un dérapage non contrôlé. C'est alors la valse-hésitation. Et, pendant ce temps, la mutation ne cesse de gagner du terrain.

Les organisations en sont encore aux balbutiements de leur mutation, mais les signes avant-coureurs de la transition ne manquent pas.
La conjoncture démographique exacerbe le phénomène, la course aux
compétences est déjà en cours. En définitive, les leaders devront s'accommoder du changement et adopter les nouvelles règles du jeu. Il
serait vain d'entretenir l'illusion qu'à force de résistance on peut avoir
le dernier mot. La rareté interdit le gaspillage. Dans de telles circonstances, mieux vaut apprivoiser le jeu, mieux vaut passer de l'expertise
du pilotage au pilotage de l'expertise.

Ce virage imposé permet de repenser le rôle stratégique des leaders :
deux principes fondamentaux du management des compétences en
découlent. Comme dans tout domaine d'expertise, la saine gestion de
l'or gris a ses exigences. Ces principes ouvrent la voie au remodelage
continu des organisations, à leur adaptation continuelle au contexte
qui les entoure. Il s'ensuit que la gestion des personnes doit s'inspirer
du management par projet et d'une structure en réseau fondée sur
des alliances, bien plus que des modèles classiques. La responsabilité
première du leader est de repérer les personnes qui possèdent les capacités et manifestent la volonté de relever tel ou tel défi. Voilà pour le
premier principe. Mais en corollaire, un second principe s'impose. À
ce titre, le leader est également responsable de cibler les personnes qui
possèdent un potentiel particulier et de s'assurer qu'elles le déploieront
au moment opportun.

Le caractère apparemment anodin de ces descriptions des nouvelles
responsabilités du leader ne doit pas dissimuler les évolutions profondes qu'elles traduisent. Le glas a sonné pour les structures rigides
qui concouraient à figer les relations hiérarchiques entre les individus.
Ces structures devront évoluer au rythme et conformément à la nature
particulière des défis à relever. En conséquence, jouir du statut formel
de pilote dans un projet particulier ne signifie plus qu'on contrôle
une fois pour toutes le pouvoir de décision. Loin de là, la décision se
rapproche de plus en plus du terrain.

Inversement, les anciennes pratiques des leaders ne tiennent plus
la route. La situation exige de nouvelles attitudes. Le temps est venu
pour les leaders de relever leurs manches et de gérer la signification

des décisions prises dans ce contexte en mutation, autrement dit de faire en sorte que les actes à travers lesquels ils assument le changement constituent autant de messages clairs aux yeux de leurs partenaires. Il leur incombe de maintenir la cohérence interne de l'organisation à l'heure où la reconnaissance des compétences se dresse contre une tradition qui valorise l'ancienneté ou la position hiérarchique. À cet égard, mieux vaut comprendre qu'il faudra passer maître dans ce nouveau rôle pour garder sa place dans la haute direction. Ceux qui y parviendront n'y verront pas que des inconvénients, au contraire.

La notion d'engagement mutuel qui résulte de ces premiers principes présente en effet des avantages pour les leaders. Qui dit engagement mutuel dit détermination et volonté sincère de s'impliquer de part et d'autre. Chacun devra prendre des engagements et les respecter. Fini l'isolement, le leader doit se mouiller. Il gagne, en retour, une véritable implication de son partenaire, premier pas vers la responsabilisation, voire l'imputabilité. Cette nouvelle donne place l'exercice du leadership dans une perspective nouvelle. L'habileté du leader à évaluer le potentiel humain est désormais au premier plan… tout comme l'habileté consistant à favoriser l'épanouissement de ce potentiel. Le leader sera responsable du raffinage de l'or gris, mais la contrepartie de ce fardeau sera la motivation de l'individu.

3

Les règles de l'engagement

L'énoncé des deux premiers principes du management des compétences pourrait donner l'impression d'un retour aux bonnes vieilles formules aseptisées. Il serait facile de les interpréter, sous couvert d'un discours séduisant, comme une invitation à prendre des distances vis-à-vis des personnes au profit de l'organisation. En les lisant, on peut avoir le sentiment que le premier rôle est réservé au leader, mais il n'en est rien, et cette impression masque l'essentiel... Si ces principes sont à la base d'un leadership renouvelé, leur portée reste en vérité relative et varie selon le degré d'engagement du leader. Dans leur formulation même, ils placent la relation entre le leader et ses partenaires dans une perspective d'interdépendance : la mise en œuvre des compétences suppose en effet un engagement ferme de part et d'autre.

La relation va des individus vers l'organisation et ses besoins, et non dans le sens inverse, ce qui indique bien sur quel plan se situe le rôle du leader. Cette nuance permet de préciser la signification des principes proposés, permet de l'envisager sous une perspective nouvelle : la mise en réseau des expertises. Mettre en réseau les intelligences pour créer une valeur ajoutée rejoint les principes de base de l'organisation apprenante. Toutefois, il serait audacieux de prétendre s'engager sur cette voie sans avoir pleinement pris conscience qu'elle impose de profonds ajustements.

En termes clairs, le premier rôle dévolu au leader est synonyme de conviction et d'engagement. Le management des compétences suppose des leaders qui ont le courage de leurs convictions, au point d'agir à contre-culture et d'entraîner dans leur sillage des employés intéressés à aller de l'avant, qui à leur tour accepteront de s'impliquer dans ce changement. En filigrane, on voit se profiler un engagement réciproque, un profond changement des mentalités, un esprit de partenariat. Un nouveau pacte doit être signé.

Cette relation repose sur la volonté de l'un et de l'autre, même si leur engagement respectif se situe à des niveaux différents. L'idée n'est pas nouvelle, mais elle n'a pas pénétré les mentalités, du moins pas encore, comme si l'évidence restait inadmissible. Les dirigeants ont bien sûr leur part de responsabilité. Les interventions en développement organisationnel ne datent pas d'hier. Elles ont fait l'objet de maints rapports qui regorgent d'illustrations démontrant la nécessité d'une véritable implication de la direction, voire d'affirmations qu'il s'agit là d'une condition sine qua non du succès. Mais les remparts du fort tiennent encore, le management résiste à cette idée de peur des conséquences : d'où sa faible crédibilité.

La petite histoire des grandeurs et des misères du développement organisationnel est révélatrice de cette résistance opiniâtre. Elle fourmille d'articles chocs qui confirment l'importance d'un engagement ferme des dirigeants en faveur du changement, un engagement élevé au rang d'une règle d'art inspirée des faits. Les chercheurs en font même la pierre angulaire de tout l'édifice, le premier témoignage du sérieux du projet. La crédibilité même de toute l'opération en dépendrait… Ils vont même plus loin dans ce sens afin de souligner l'importance de cet impératif. Cette insistance sur l'engagement ferme de la direction est le pendant de sa fragilité notoire.

Dans la plupart des écrits consacré à ce thème, les avertissements sont sans équivoque. Les hauts dirigeants sont prévenus : s'ils soutiennent avec tiédeur les artisans du changement, ils doivent s'attendre à de cruelles désillusions. À cet égard, le management des compétences n'échappe pas à la règle commune, loin s'en faut. Pour illustrer notre propos, résumons les explications que les cadres donnent de leurs échecs lorsqu'ils se confessent : dès l'instant où on s'aventure à confier un mandat à une personne compétente dont le statut n'autorise pas l'exercice d'une telle autorité, cette personne est sacrifiée par ses pairs si on la quitte des yeux ! Selon la loi du milieu, les patrons d'occasion sont interdits de séjour… Et même si la direction ouvre le jeu, elle ne peut se soustraire à cette règle.

Les anticorps produits par le milieu s'attaquent aussi férocement aux personnes dont le statut est éphémère qu'aux cadres pris en flagrant délit d'erreur. Les uns comme les autres subissent un sort aussi funeste. Si la direction ne prend pas fermement position en leur faveur et ne les soutient pas contre vents et marées, à elle seule la compétence ne suffit pas... Elle est sacrifiée! À l'inverse, on néglige trop souvent le fait que l'engagement doit avoir un caractère réciproque. L'engagement ferme des employés est, lui aussi, nécessaire. Les écrits regorgent d'exemples montrant comment, par leur seul immobilisme, les employés peuvent faire avorter toute tentative de changement. Toutefois, obtenir un réel engagement des employés revêt une importance qui n'a pour l'instant été qu'effleurée. On commence à peine à concevoir toutes les conséquences néfastes des lois du milieu, des lois de la caste des employés. Elles sont d'une solidité qui réserve encore beaucoup de surprises aux néophytes. Ils s'y cassent les dents.

Droit coutumier de la culture d'entreprise, les lois du milieu sont le reflet des modèles mentaux utilisés pour apprécier aussi bien le sérieux des changements annoncés que les actes qui leur succèdent. Ignorer le phénomène revient à négliger une mise en garde de première importance : le fardeau de la preuve revient à la direction. Dans la même veine, le management des compétences ne devient possible qu'au prix d'un engagement réciproque, d'une volonté de chacune des parties explicitement assumée aux yeux de tous les intéressés. Une volonté de partenariat est nécessaire au départ. Mais dans le contexte actuel, seule la direction détient les leviers permettant d'enclencher le processus en toute légitimité.

En conséquence, quiconque exerce un leadership mobilisateur est rapidement amené à prendre ses distances avec un management traditionnel s'accommodant de beaucoup d'implicite et d'ententes secrètes. L'obligation de lever le secret découle de la présence d'une hiérarchie formelle qui se traduit dans la structure officielle de l'entreprise. Il y a là matière à réflexion pour le leader. Un dialogue explicite lève l'ambiguïté : si la gestion de l'environnement humain s'impose, il est illusoire d'espérer que le temps arrangera les choses. L'esprit humain a horreur du vide : en l'absence d'information, il recourt à la rumeur pour colmater la brèche. Mais une rumeur infondée a beau combler le vide, elle ne résout rien, ne met fin en rien au culte du secret : elle suscite des interprétations erronées, et ses effets sont plus insidieux et finalement plus néfastes. La transparence exige plus de courage.

Dans le management des compétences, la capacité individuelle est valorisée et privilégiée, au détriment des arguments traditionnels qui légitiment la délégation de pouvoir. Ce revirement provoque inévitablement une quête de sens. Si logique que soit la décision, elle va à l'encontre de la culture traditionnelle de l'entreprise même aux yeux des dirigeants. Paradoxe intéressant s'il en est : une décision sage provoque le malaise ! Les leaders actuels hésitent à relever un tel défi, le fait est des plus évidents. Pourtant il ne leur viendrait pas à l'esprit d'agir avec désinvolture s'il s'agissait d'implanter une nouvelle technologie. S'ils investissent allègrement temps et argent pour négocier les tournants technologiques, il leur est beaucoup plus pénible de tenir le pari de la transparence quand il est question des aspects humains. Ils n'y sont pas préparés !

Le changement passe beaucoup mieux quand il concerne les autres. Mais s'ils veulent gérer l'or gris, les leaders doivent pourtant revoir en profondeur leurs façons d'intervenir et même accepter de redéfinir leur rôle de manager. Voilà les raisons de la valse-hésitation. Ils sont pris au piège. Il est impossible de négocier un tel virage sans s'exposer au risque : le risque est inévitable et le leader doit se mettre en danger, s'engager personnellement dans la zone de turbulences. Combien de leaders respirent d'aise à l'idée de jouer le rôle de gardien du sens, de donner, aux yeux des autres, un sens à leurs gestes ? Il n'est pas dans les usages du management d'attaquer la question sous cet angle[1]. Bien au contraire. Les leaders ont été formés à utiliser un langage qui occulte ce rôle.

Sous le règne de l'organisation-machine, les leaders orthodoxes parvenaient à se tirer d'affaire même lorsqu'ils s'en tenaient à un mode de communication à sens unique érigeant en diktats les besoins de l'entreprise. Cette approche allait dans le sens d'une gestion des ressources humaines qui assimilait les personnes à une dépense et à une composante facilement remplaçable de la chaîne de production. Rien d'étonnant si certains leaders considéraient que les personnes

---

1. Pour approfondir cette question, voir *Le stratège du XXIᵉ siècle, vers une organisation apprenante*, de Dionne et Roger (1997).

étaient le maillon faible de la chaîne de production ou de service. En effet, contrairement à celui des autres facteurs, le rendement des hommes est très variable. En poussant plus loin cette logique, il devenait même légitime de surveiller l'individu : son libre arbitre ne fait-il pas de lui un facteur de risque ?

Une telle vision de la gestion du personnel n'incite guère à considérer la communication comme une clé de la réussite. Au mieux, les cadres issus de cette école reconnaissent qu'ils doivent s'adresser à leurs troupes pour les informer des changements ou pour leur signifier leurs attentes, sans plus. Pas question de justifier outre mesure ses gestes aux yeux de simples exécutants ! Or, le château de cartes s'est effondré lorsque le client s'est emparé du pouvoir. Les employés de première ligne sont tout à coup devenus les premiers ambassadeurs de l'organisation, et leur autonomie comme leur sens de l'initiative peuvent faire toute la différence : le simple exécutant a pris du galon !

La qualité totale et la réingénierie des processus ont eu des répercussions sur le fonctionnement des organisations. Elles ont sapé les fondements de la métaphore de l'organisation-machine. En devenant les premiers ambassadeurs de l'entreprise, le premier levier de l'orientation client, les employés ont soudain acquis un statut de partenaire incontournable. Eux seuls peuvent incarner le changement qui s'amorce. De nos jours, il est devenu essentiel non seulement de mettre le personnel au parfum des stratégies, mais aussi de recueillir l'information stratégique que détiennent ces ambassadeurs de première ligne. La communication est la clé maîtresse. Le client a acquis du pouvoir et ne le lâchera pas. Il en résulte une obligation pour les leaders de mieux communiquer avec les employés, et ce, de façon continue : la qualité de la relation existant entre le client et l'organisation dépend d'eux. Dès lors, peut-on maintenir une distance entre leaders et employés, peut-on s'en tenir aux rôles classiques ?

Restaurer le dialogue

En dépit des pressions qui s'exercent aujourd'hui sur l'entreprise au nom de la qualité, il est difficile de passer de la simple expression de ses attentes à un échange d'informations stratégiques avec le personnel de première ligne. Cela exige des leaders actuels qu'ils fassent preuve d'ouverture d'esprit et d'humilité, et surtout de patience. Il leur faut remplir ces exigences, mais aussi prendre conscience que l'employé joue un rôle clé : il détient des informations qui leur échappent et qui leur sont nécessaires pour prendre des décisions éclairées. L'aveu de cette dépendance est très pénible pour le leader orthodoxe nourri au mythe du héros. Voilà pour l'humilité requise.

Par ailleurs, laissé trop longtemps hors jeu, l'employé ignore souvent quelle information a une valeur stratégique. Et surtout, il n'attend pas un changement d'attitude de la part de ses supérieurs. Parfois même il se méfie de l'intérêt soudain qu'on porte à son travail. Le leader se voit par conséquent forcé d'ouvrir le jeu et d'y consacrer tout le temps nécessaire. Et il y a beaucoup à rattraper, beaucoup à faire pour donner toute leur crédibilité à ces nouvelles pratiques de communication. Rome ne s'est pas bâtie en un jour. Ce qui sous-entend que patience et longueur de temps valent mieux que force et rage…

Éliminer l'implicite, choisir la transparence, faire montre d'humilité et de patience, après avoir pris conscience que l'employé détient des informations cruciales pour l'entreprise : autant de changements d'attitudes qui sont des plus ardus. Face à la perspective d'avoir à remplir de telles obligations, il y a de quoi froncer les sourcils et s'interroger sur le bien-fondé de la démarche : faut-il aller aussi loin ? C'est toutefois le passage obligé pour les cadres qui veulent atteindre le but poursuivi : tirer profit de la compétence qui existe dans l'entreprise, une compétence qui va bien au-delà des seules qualifications individuelles et englobe les informations recueillies à travers un contact direct et privilégié avec le client.

Le tribut à payer paraîtra sans doute excessif aux yeux des cadres qui se sont constitués en clan dans l'organisation : au fil du temps, ils en sont venus à constituer une confrérie dotée de règles et de pratiques qui gouvernent les relations entre ses membres. Changer de mentalité ne peut que remettre en cause leurs habitudes. L'une de leurs règles d'or n'était-elle pas de protéger les frontières du clan ? Le management des compétences provoque de ce fait même des résistances passionnées.

Le phénomène est vécu comme un risque d'intrusion! Certains vont même jusqu'à poser naïvement la question décisive: faut-il vraiment consulter nos employés?

Voici une anecdote révélatrice de ce qu'est l'esprit de clan. Un programme de formation avait été conçu sur mesure pour les quelque mille cadres d'une organisation. Les directeurs généraux rejetèrent avec fermeté l'idée qu'un certain nombre de directeurs de service fassent partie de leur groupe. Leurs arguments étaient sans équivoque: ces adjoints n'ont pas une vision globale de l'organisation et leur présence risque donc d'appauvrir le niveau des discussions que seuls de hauts dirigeants peuvent atteindre. Ils en firent une question de principe: ils ne participeraient pas à la formation à de telles conditions. Pas question d'admettre les adjoints en leur sein! Ils résistèrent à cette idée bec et ongles… jusqu'au moment où l'existence même de leur groupe sélect apparut bien compromise faute de disponibilités de leur part. Se réunir entre soi tenait de l'exploit.

Pendant que leurs adjoints progressaient dans leur cheminement, les directeurs généraux se battaient avec leurs agendas. Impossible de concilier les obligations de chacun! Craignant d'être pris de court, à contrecœur ils reconnurent qu'il fallait constituer des groupes mixtes et acceptèrent de s'y intégrer. Cette décision signa l'arrêt de mort de préjugés qui handicapaient lourdement la synergie des équipes de direction. Chacun découvrit à quel point l'autre détenait des informations clés et, par contrecoup, qu'il était nécessaire de dialoguer. Les avantages de cette formule sautaient aux yeux.

Par un heureux jeu de circonstances, l'incompatibilité des agendas joua en faveur des directeurs de service et leur ouvrit le saint des saints. Au terme du programme, les directeurs généraux comme leurs adjoints se rendirent compte à quel point leur ignorance des préoccupations de leurs partenaires biaisait leur compréhension des enjeux réels de l'organisation et, surtout, les empêchait de comprendre les fondements sur lesquels reposaient leurs points de vue respectifs. Qui plus est, chacun reconnut qu'il comprenait mieux l'organisation après cette expérience et admit même en avoir découvert des faces cachées.

Comme le montre cet exemple, la barrière dressée entre les cadres et leurs employés est aussi artificielle que stérile: elle les maintient les uns et les autres dans une situation d'ignorance réciproque. Le corollaire de cette prise de conscience est un avertissement lancé au leader qui contrôle l'information dans l'espoir de préserver une définition claire de son territoire et de ses zones d'autorité. C'est l'occasion pour lui de comprendre qu'il court peut-être ainsi à sa perte. Un tel comportement entrave gravement la capacité d'adaptation de l'organisation, dans un contexte où les défis ne manquent pas, et empêche le management des compétences. Cette fâcheuse attitude est pourtant encore fort répandue.

De l'ignorance à la transparence

La propension à asseoir son pouvoir sur ses troupes à travers le contrôle de la circulation de l'information tient à un mythe du management traditionnel. La croyance veut que l'information stratégique soit réservée à quelques-uns. À ce titre, elle appartient à un petit groupe restreint : l'élite dirigeante, les seuls cerveaux en mesure de la traiter. Voilà une bien fâcheuse croyance qui entretient une ignorance favorisant la coexistence de deux réalités dans l'entreprise : celle des cadres et celle des autres. Reprocher aux employés de ne rien comprendre à l'entreprise est une absurdité… dans laquelle, justement, on les maintient. Et une fois cette attitude bien ancrée, le constat de l'ignorance sert de caution au mythe qui l'entretient.

Le réveil du management passe, en ce sens, par l'abandon de ce mythe du contrôle de l'information. Dans un univers complexe comme celui d'aujourd'hui, nul ne peut prétendre gérer parfaitement et totalement l'information. En témoignent les problèmes que les petits futés du Web posent actuellement à l'industrie du disque. S'il faut une nouvelle métaphore aux leaders contemporains, elle n'est possible que si on admet que c'est la transparence qui donne un sens à la gestion de la matière grise et à la promotion de l'engagement réciproque.

Pour ceux qui font le pari d'asseoir leur leadership sur la gestion des compétences, la prudence la plus élémentaire exige d'expliquer pourquoi on mise sur un employé, pourquoi on lui propose de relever un défi en particulier ou de prendre en charge une mission. La clé de cette stratégie se trouve dans la reconnaissance et dans la valorisation des compétences propres à chacun. Le management des compétences ne se limite donc pas au courage de faire ce qui hier encore était inimaginable : il suppose également de mettre fin au contrôle de l'information, à ces attitudes qui perpétuent l'ignorance, et de miser sur les compétences qui feront la différence. Dans cette perspective, le leader doit ajuster sa vision et adhérer à une approche privilégiant la transparence et la cohérence. De là découlent les comportements qui transforment le rôle traditionnel des cadres. Partager sa vision avec ses partenaires et mettre en valeur leur potentiel, voilà les socles du management des compétences.

Si les cadres sont invités à adopter la transparence, attitude d'ouverture étrangère à leurs habitudes, le changement de mentalité doit être tout aussi profond chez les employés. Il serait malvenu de le cacher, leur malaise n'est pas moins grand. Beaucoup d'employés rechignent à chausser des souliers autrefois réservés aux cadres. Avec toutes les conséquences que cela implique, eu égard aux exigences associées au métier, certains ont le réflexe de se réfugier dans des attitudes de repli alors qu'ils se voient tout à coup invités à diriger les travaux d'une équipe. Certains préfèrent écarter cette possibilité en déclarant tout bonnement qu'ils ne sont pas payés pour prendre de telles responsabilités. Or, le management des compétences a sa contrepartie, et elle requiert d'autres attitudes.

Cette approche s'appuie sur un engagement réciproque et consacre l'organisation comme étant l'affaire de tous, et pas seulement de ceux qui officiellement la dirigent. C'est là que la réciprocité de l'engagement débouche sur le partenariat. Si la transformation touche l'ensemble des individus, tous ont à s'ajuster, même si les leaders demeurent les premiers responsables de ce processus. Eux seuls sont en position favorable pour concrétiser ce changement, mais ils n'y parviendront qu'à condition que leurs partenaires s'adaptent. Le conflit qui a touché Vidéotron, il y a peu, a d'ailleurs fait vaciller l'édifice : le syndicat, les employés et les dirigeants ont pris conscience qu'ils avaient la capacité de détruire l'entreprise... et du même coup leur emploi. L'affrontement interminable qui a opposé les parties a pris l'allure d'une lutte qu'il fallait mener à son terme... tandis que la valeur de l'entreprise chutait vertigineusement. On avait fait fi de tout partenariat, mais à quel prix !

Les employés déplorent souvent que les dirigeants les laissent dans l'ignorance, les tiennent à l'écart des véritables enjeux. Ils n'ont pas tort, mais leur réaction n'est guère plus constructive que celle qu'ils décrient. Par la voix de leurs représentants, ils dénoncent l'absence d'un véritable partenariat, ce qui leur tient lieu d'excuse quand les choses vont mal. Ils s'en lavent alors les mains et blâment la direction, prétextant n'avoir d'autre choix que de s'en tenir au peu qu'ils savent. C'est là la contrepartie indéniable de l'attitude adoptée par le manager traditionnel, qui se coupe de ses troupes en espérant ainsi se simplifier la vie. Mais la voie n'est pas sans issue. Le leader qui opte pour la transparence sape progressivement les fondements sur lesquels repose l'argument de l'ignorance. Son entourage ne peut alors plus se réfugier dans cette réponse rassurante : « Moi, je fais ce qu'on me demande, un point c'est tout. »

La transparence a pour conséquence la responsabilisation. Chacun, quel que soit son statut, est appelé à un engagement plus intense. En ce sens, le management des compétences prescrit à celui qui peut faire la différence de se mouiller ou de se retirer. Cette prescription écarte les arguments classiques, car elle définit une responsabilité conjointe vis-à-vis du succès ou de l'échec. Il n'est plus de gloire réservée aux leaders, ni d'échecs dont les autres pourraient se laver les mains en toute légitimité. Chacun porte sa part d'obligations envers le client et envers l'entreprise. Et, à l'extrême, chacun œuvre au maintien de son emploi…

De nouveaux repères de pilotage

Dans ce nouveau contexte d'interdépendance, la capacité et la volonté individuelles deviennent les fondements du management des compétences, les deux premiers repères du leader moderne. Toutefois, le tableau serait incomplet si on passait sous silence la question de la mise en place des conditions du succès. Elles sont le passage obligé de la mise en œuvre de l'approche et débouchent nécessairement sur l'obligation d'agir. Et l'obligation vaut pour tous les clans.

La mise en place de ces conditions favorise une évolution notable des pratiques. Sans elle, pas de transformation des modèles mentaux.

Il est illusoire d'espérer voir apparaître une nouvelle culture d'entreprise si le leader reste au stade des beaux discours et se contente de faire
l'apologie de la responsabilisation et de l'*empowerment*. Les envolées
oratoires sans lendemain laissent les employés de plus en plus sceptiques. Poudre aux yeux, déclarent-ils. Plusieurs dirigeants ont em-
prunté cette voie dans le passé, pour finalement revenir à la case départ,
faute d'avoir su gérer le train de mesures nécessaire pour assurer le
changement dont ils se faisaient les apôtres. Là encore, les formules
magiques ont révélé leurs limites, et ceux qui les ont prononcées ont,
de leur aveu même, été projetés en première ligne, aux premières loges
du pilotage du changement. L'aventure en a inspiré quelques-uns…

Quand s'amorce un changement profond, le virage se négocie au
prix d'une véritable réingénierie du management allant au-delà du
simple énoncé des actions qui sont exigées des partenaires. Il en résulte
des obligations pour les leaders qui s'emploient à bâtir une mentalité
nouvelle débouchant sur une lecture et une compréhension différentes
de l'organisation et, partant, des rôles et des responsabilités de chacun.
Pour mener à bien cette réingénierie, il faut traduire cette nouvelle
mentalité dans les faits, à travers des gestes quotidiens, des gestes que
le leader sera le premier à faire par souci de cohérence et de crédibilité.

La tâche est ardue pour celui qui vivait jusque-là à l'abri des conséquences du changement. La seule option est de se porter volontaire-
ment en première ligne dès les premiers instants, autrement dit de
suivre d'emblée de nouveaux principes de management des personnes.
Quitter son havre de paix, renoncer à ses portes closes si rassurantes
présente des risques indéniables aux yeux du leader qui est conscient
de ce qui l'attend.

Les pratiques courantes veulent qu'on aborde les situations de
changement en concentrant son attention sur les buts poursuivis et
les moyens permettant de les atteindre, en se souciant des différentes
étapes qu'on doit franchir. Les managers orthodoxes sont à l'aise avec
cette approche qui débouche sur un plan d'action dont l'articulation
suit une logique incontestable. Adopter cet angle d'attaque revient
rapidement à exiger de ses collaborateurs qu'ils s'adaptent, tout en
s'excluant soi-même d'un processus dont on est le responsable, le

meneur. Il est alors beaucoup moins naturel de prendre des dispositions pour gérer les réactions aux nouveaux comportements qui seront adoptés en réponse au plan. Et pour le meneur de jeu qui s'exclut du jeu, il est encore moins naturel d'imaginer qu'il devra lui-même se transformer. De la sorte, en dépit de leur caractère prévisible, les difficultés d'adaptation des individus donnent rarement lieu à des stratégies préventives. Ces difficultés ne sont pas envisagées comme un phénomène normal : elles sont appréhendées comme un obstacle qui surgira tôt ou tard.

Les leaders traditionnels ont acquis le réflexe d'assimiler les difficultés qu'ils éprouvent à des manifestations de résistance au changement. Ils considèrent que ces résistances au changement sont inévitables, voire que le changement se fait à ce prix. Il ne leur vient pas à l'esprit que les résistances qu'ils déplorent pourraient n'être que des symptômes, qui trahissent une connaissance ou une compréhension insuffisante des enjeux et des défis posés par le changement ou, plus fondamentalement, qui révèlent les difficultés de leurs collaborateurs à traduire dans leurs comportements quotidiens l'obligation de changement. Les vicissitudes de cette approche fataliste sont importantes, car elles peuvent déboucher sur un cercle vicieux qui accentue les difficultés. Puisque les résistances sont normales, il faut bien les combattre !

Persuadés que les résistances sont dans la nature des choses, les leaders traditionnels ont tôt fait de les prendre pour un refus de s'engager, un manque de bonne volonté ou, pire encore, d'y voir le reflet de l'incompétence. Ne seraient-elles pas plutôt, dans bien des cas, le signe que leurs auteurs sont tout simplement désorientés ? Et si les partenaires ne savaient tout simplement pas quels gestes accomplir pour concrétiser le changement désiré ? Comble de malheur, si ces résistances ne sont que des signes de désorientation, l'interprétation privilégiée par ces leaders risque de renforcer des attitudes qui aggravent la situation.

Les turbulences que génère le changement brouillent la lecture des événements. Dans ce contexte, s'efforcer d'accomplir les gestes appropriés peut très bien être un signe de bonne volonté. On ne découvre pas du jour au lendemain les comportements nouveaux que requiert le changement : on les cherche, et cette recherche nous rappelle que le *comment* est indissociable du *quoi*. Les leaders qui saisissent la nuance peuvent en tirer des avantages considérables et découvrir qu'une opportunité fantastique leur est offerte : le moment est favorable à la création des nouvelles pratiques quotidiennes, mais à la condition d'admettre le droit à l'erreur.

La confusion qui règne au moment où le changement bouleverse les habitudes n'est pas nécessairement une période noire. Malheureusement, l'incertitude qui habite chacun incite trop souvent ceux qui pilotent le changement à oublier le sens profond de la quête du sens qui est menée dans l'organisation. Cette quête se traduit dans les nouvelles questions et les nouveaux comportements qui se font jour. En portant attention aux premiers efforts d'adaptation qui suivent la phase de désorientation, on découvre que le déséquilibre s'apparente à une forme de deuil. Le leader qui fait fi de ce cycle de deuil dépense en vain son énergie à combattre un ennemi imaginaire sur un terrain où tout lui échappe. Le leader moderne a besoin de nouveaux repères, de principes de management qui rompent le cercle vicieux de l'acharnement contre la résistance apparente. Que les turbulences suscitent des réactions passionnées, quoi de plus normal : les gens se cherchent ! Et qui se cherche hésite à avancer.

4

À la recherche du fil d'Ariane...

La turbulence du changement est un creuset favorable à l'épanouissement du potentiel inexploité. Malheureusement, c'est aussi une zone d'ombre où l'expertise acquise à force d'expérience est mise à l'épreuve. Même le pilote aguerri respecte la mer tumultueuse. Quand la vague du changement déferle sur l'organisation, les nerfs du capitaine et du matelot sont à vif. Tous savent qui est le véritable ennemi, mais chacun attend de l'autre une performance irréprochable. L'attitude se comprend, mais elle comporte des risques.

Quand les choses paraissent aller de travers, le risque vient de vieux réflexes, d'automatismes facilement repérables. Les premiers réflexes déclenchent la course aux *pourquoi*. Chacun trouve les siens sans trop d'efforts. Et la liste des *pourquoi* nous rappelle combien Jean-Paul Sartre avait raison d'affirmer que «l'enfer c'est les autres»! Aux yeux des employés, ça va mal parce que les patrons ne savent pas où ils vont, parce qu'ils demandent des choses impossibles, parce qu'ils sont en proie à la panique... Et les explications faciles des dirigeants ne tardent pas non plus à surgir: ça grince parce que les syndicats résistent au changement, parce qu'ils montent aux barricades pour défendre des intérêts corporatistes, parce que les employés ne comprennent pas l'importance du tournant, parce que... parce que... parce que...

Chacun semble rivaliser d'imagination. Mais au-delà de cette créativité débridée, la kyrielle des interprétations ne fait que confirmer l'impasse, repousse allègrement la responsabilité dans l'autre camp. Avec un brin d'humour, disons que chacun contribue à donner raison à Sartre: dans tout cela, le malheur est que, pour les autres, l'enfer c'est nous, nous sommes toujours l'autre de quelqu'un! Et si chacun trouve facilement non seulement des raisons, mais aussi des coupables, pour expliquer l'échec, la spirale des causes obscurcit le tableau et trouble le jugement.

Le leader qui participe à cette escalade ou l'alimente par ses comportements se piège lui-même dans le labyrinthe des causes. Il crée son propre malheur. Il applique à la perfection la recette du « comment réussir à échouer ». Faut-il rappeler à quel point connaître les causes de nos maux n'atténue en rien la douleur ? Certes, il est important de déterminer les causes pour pouvoir choisir le bon traitement, mais la situation ne peut se débloquer qu'à partir du moment où l'attention passe du *pourquoi* au *comment*, des symptômes qui aident à cerner le mal aux moyens qui permettent de l'enrayer.

Les rapports humains sont ainsi faits, le piège se referme en raison d'une propension à s'acharner à découvrir le pourquoi dans l'espoir que trouver un coupable arrangera les choses. Aucun réflexe ne pousse à se demander comment la situation se noue. Cette réaction est certes très humaine, mais elle n'est pas porteuse de solutions : ce n'est pas parce qu'on a compris pourquoi la pluie tombait qu'on a inventé le parapluie… En se focalisant sur les causes de l'orage, et non sur les moyens de rester au sec, on a peu de chances d'orienter son attention vers une solution.

À ce titre, la quête des causes emprisonne l'esprit dans le problème. Cette évidence n'empêche pas beaucoup de leaders de continuer à privilégier l'étude du problème et à exacerber ainsi la situation. Ils sont victimes du syndrome d'utopie, leur logique repose sur des prémisses erronées. Confesser sa maladresse n'a jamais atténué la douleur intense qu'on ressent lorsqu'on se donne un coup de marteau sur le pouce. Le management des compétences privilégie une approche différente : le *pourquoi* doit céder une partie de son territoire au *comment*. Le pourquoi révèle les causes, le comment est la source du changement.

La meilleure façon de ne pas perdre l'équilibre lorsqu'on porte le changement des organisations sur ses épaules est de lâcher prise, d'abandonner certaines convictions. Le premier pas consiste à reconnaître a priori qu'on ne doit surtout pas tout porter seul. Comprendre l'origine des impasses ouvre sur des solutions que les apôtres de la causalité ne soupçonnent même pas. Ces solutions amènent à abandonner les fâcheux réflexes consistant à assumer la responsabilité des autres et à s'attribuer le rôle du surhomme du changement.

La fin de l'ère du surhomme

Ces réflexes font sombrer certains leaders traditionnels dans la mer tumultueuse du changement. Persuadés qu'ils doivent jouer aux surhommes, ils plongent tête baissée dans la mêlée. Ils butent contre le mythe de l'*ultrasolution* en s'acharnant à régler des problèmes sur lesquels ils ont peu d'emprise, voire aucune prise. En jouant aux Atlas, ils légitiment les attentes de leurs collaborateurs qui espèrent d'eux des prouesses et des miracles. Mais ces attentes démesurées ne peuvent qu'être déçues, ce qui mine leur moral et leur crédibilité ! Le leader en fait alors les frais : stress accru, découragement, épuisement et, parfois même, perte de confiance en ses moyens. Pour certains, cela peut conduire à l'épuisement professionnel. Mais qui est à blâmer quand c'est le leader lui-même qui s'est investi d'une telle mission ?

Pour quitter cette spirale et briser le cercle vicieux, il convient de comprendre comment le piège s'est refermé. On doit se garder de porter seul la responsabilité du changement, ne pas revêtir l'habit du surhomme. Une fois qu'on a échappé au chant des sirènes, il est évident que le changement demande du temps, toujours beaucoup plus de temps que ne le laissent croire ces stratégies séduisantes qui débouchent sur des plans d'implantation dont la naïveté n'a d'égale que l'esthétique. Il en va ainsi car le changement repose d'abord sur une reconfiguration des modèles mentaux, sur la capacité à porter un regard nouveau sur l'organisation. En d'autres mots, il est illusoire de croire qu'on peut cheminer à la place de l'autre. Au mieux, on peut s'efforcer d'éclairer sa lanterne, essayer de lui faciliter la tâche. L'aider à déterminer des gestes ou des façons de voir qui vont dans le sens de la transition est une voie plus sage.

Le véritable changement s'amorce quand les gens cherchent leur nouvelle voie. Il débute quand toutes les personnes concernées se plongent dans une quête du sens. Avant ce stade, le changement est seulement un discours. Mais quand le sens est perdu, le moment est venu de faire en sorte que le retour en arrière devienne impossible, de briser le mythe de la continuité. Pour paraphraser Jean de La Fontaine, tous sont touchés dans la turbulence du changement, mais heureusement tous n'en meurent point. Pour sortir gagnant du changement, il faut briser le mythe de la continuité, ce qui signifie, mine de rien, que tous doivent changer d'emploi!

La compétence d'hier, qui donnait une emprise sur le quotidien, devient un ennemi sournois lorsqu'on se dirige vers un nouvel équilibre. Au cours de ces périodes, on espère que les vieilles et les nouvelles pratiques pourront cohabiter pacifiquement, et il est difficile de résister à cette tentation: chacun pèche en s'efforçant de sauver les meubles, de conserver une part de la douce quiétude de son ancien poste. De peur de jeter le bébé avec l'eau du bain, on légitime ainsi un certain conservatisme.

Cet aperçu des vicissitudes des réflexes liés au changement lève un peu le voile sur l'art de faire son propre malheur. Pour le leader, il suffit de se concentrer sur les raisons pour lesquelles les choses vont mal et de tenter de tout régler lui-même. Or, d'autres options s'offrent à lui, quelques pistes de solution et des tactiques qui conduisent à «gérer le changement des autres» en se gérant d'abord soi-même. Chacun doit en effet faire sa part du chemin. Être vigilant signifie qu'il faut être attentif à la façon dont les comportements traduisent l'effort d'adaptation. Le leader a tout intérêt à analyser son action dans une perspective de prévention. Les premiers *comment* le concernent.

Certains symptômes doivent être considérés comme autant d'avertissements contre la tendance à tout porter sur ses épaules. Ainsi, quand des leaders succombent à la tentation de se lancer dans des discours teintés d'un sentiment d'urgence ou quand le verbe est marqué au sceau de l'impatience, il y a fort à parier qu'ils butent contre l'obstacle sans saisir la dynamique de la situation. Le point culminant est atteint quand ils revêtent l'armure du valeureux chevalier solitaire prêt à se jeter corps et âme dans la bataille.

On entend alors des discours qui décrètent l'état de crise, et les leaders clament sans nuance que l'heure du grand chambardement a sonné! Ils sombrent corps et biens dans les remous du changement!

Écorchés par le fouet de la mondialisation et piqués au vif par une concurrence exacerbée, ils se lancent dans une partie de bras de fer sans objet, en viennent aux prises avec leur propre cerveau. Tel Don Quichotte lancé à l'assaut de ses moulins, ils pourfendent un ennemi imaginaire. Changements de mentalité, de valeurs, de culture, rupture avec les traditions et avec les habitudes : ils entrent de plain-pied dans le chaos du changement. Avant même le début de la véritable bataille, ils provoquent tous les adversaires imaginables, piaffent d'impatience à l'idée d'en découdre. Sous l'effet du sentiment d'urgence, leur cœur s'endurcit et ils haranguent leurs troupes : ceux qui ne monteront pas à l'assaut, ceux qui refuseront de chevaucher dans leur foulée et tenteront de survivre sans combattre, ceux-là seront considérés comme des traîtres. Voilà pour la tolérance du leader qui monte sur ses grands chevaux.

Ce discours saccadé et dur traduit bien la disposition d'esprit de ces leaders qui tremblent d'impatience en constatant la lenteur avec laquelle leurs troupes répondent à leur appel. Mais il est plus révélateur encore des réflexes du surhomme qui sommeille en eux. Le valeureux chevalier solitaire pèche par excès de zèle, par complaisance envers l'utopie, et le risque est bien plus grand qu'il ne le croit. Sa détermination irréfléchie le dresse contre les artisans du changement, les érige en adversaires alors qu'ils sont les premiers leviers du succès. En agissant de la sorte, comment le héros peut-il espérer rassembler derrière lui ceux qui livreront la bataille décisive du changement ? Son attitude favorise au contraire des résistances encore plus vives et entretient surtout le sentiment qu'elles sont tout à fait légitimes. Ces leaders succombent aux croyances répandues par des gourous d'une autre époque. Leur crédulité est telle que leurs prises de position paradoxales vont à l'encontre de leurs espérances et de leurs besoins. Le dormeur doit se réveiller !

Le temps est venu pour les leaders d'envisager le défi du changement dans une optique beaucoup plus humaine. Pour cela, ils doivent regarder d'un autre œil certains aspects du quotidien. Avec un peu de recul, il est facile de comprendre que l'ère des surhommes est révolue. Se contenter de marteler un message et de prescrire le changement traduit une absence totale de stratégie, ce qui se révèle rapidement contre-productif. Pour endiguer le mal, les leaders doivent apprendre à déployer leur action sur un autre plan : celui du quotidien, ce champ de bataille dont ils ignorent souvent la dynamique. Mais, avant tout, ils doivent comprendre qu'en agitant le spectre de l'urgence ils créent un facteur de tension supplémentaire. Pire encore, disons-le au risque de les heurter, ils avouent ainsi que leur imagination s'est embourbée dans de vieux réflexes.

Dans le quotidien d'une organisation, certains comportements souvent décriés révèlent paradoxalement qu'un artiste, un être tout à fait créatif, sommeille dans chaque employé et dans chaque cadre ! Constatons-le, dans l'organisation traditionnelle, l'encadrement est si pauvre que chacun s'invente avec le temps un emploi dans son poste. Les cadres qui acceptent de se pencher sur le phénomène le reconnaissent rapidement : vous engagez quelqu'un pour faire telle chose, et six mois plus tard il n'a plus le temps de faire ce que vous lui demandez parce qu'il est débordé par une foule de choses dont vous ne lui aviez jamais parlé !

Ce point de vue est fort intéressant et fort révélateur. Au fil des jours et des activités qui s'imposent par la force des choses, chacun s'invente un univers bien à lui, sur un fond de valeurs et de règles du jeu. En fin de compte, chaque employé adopte une définition de la réalité qui lui paraît correspondre à la position qu'il occupe. Tout se met en place insensiblement, jour après jour. Lorsque la dynamique est arrivée à son terme, le cercle créateur de sens est bouclé. L'employé ou le cadre est devenu un travailleur autonome dans son poste : il a *son entreprise*, et elle est bien réelle à ses yeux.

L'autoroute du changement

Cette dynamique créatrice est pourtant dénoncée comme une source de nombreuses difficultés. Or, elle fournit tout de même un levier de changement considérable au leader assez habile pour l'exploiter. Si la description de poste devient à la longue en bonne partie étrangère au quotidien construit par l'individu, la distance progressive que celui-ci prend vis-à-vis d'elle et, surtout, la voie qu'il emprunte pour créer sa propre organisation dans l'organisation ouvrent sur une zone d'intervention intéressante. La quête du sens au quotidien est l'autoroute du changement! La dynamique créatrice révèle un processus, une voie d'accès à l'autoroute.

Le leader moderne ne se contente pas de gérer le changement. Le profil de compétences qui s'impose progressivement dans les organisations l'invite à initier le changement. À ce titre, prendre l'autoroute du changement signifie s'engager résolument dans la quête du sens menée si naturellement par chacun. La première étape consiste à proposer un sens nouveau, parce que le véritable défi caché derrière le terme de «changement» est de négocier une nouvelle organisation avec ses partenaires, un projet partagé. Le leader moderne est un bâtisseur de sens, il provoque la quête.

La distance entre le leadership traditionnel et le leadership moderne est considérable. Elle se mesure à l'aune de la différence qui existe entre prendre le temps de donner un sens et entretenir un discours de crise, de coupures, d'appels à faire plus avec moins, et cela, au moment précis où chacun cherche sa voie. Agir sans avoir égard au rôle de bâtisseur contribue à accroître l'inquiétude et l'incertitude. Quand survient la turbulence, le risque est de voir monter chez certains partenaires le sentiment d'être au nombre des grands perdants du changement. Il est alors impérieux de combattre le vide de sens qui conduit au sentiment d'être oublié, d'être le grand négligé.

Le moment où surgit le doute est propice. Cet instant révèle la mise en route de la dynamique par laquelle normalement chacun crée son organisation. Voici comment le président d'un conseil décrivait le territoire sur lequel on doit alors s'engager, voici comment, reprenant le point de vue de ses cadres supérieurs, eux-mêmes en quête de sens dans le tourbillon du changement, il campait à grands traits le contexte.

> À ce chapitre, force est d'admettre que tout reste à faire. Au point qu'on peut vraiment se demander si nos décideurs font le lien entre, d'une part, la qualité des services fournis aux usagers et, d'autre part, le travail moins visible certes, mais non moins utile, des cadres supérieurs qui s'assurent du bon fonctionnement de l'organisation dans leur secteur respectif, concourant ainsi à l'efficacité des services rendus. Comment, sinon, expliquer la détérioration durable de l'encadrement supérieur et le peu d'attention qu'on lui a portée jusqu'ici…

Ce discours, empreint de désarroi, traduit une vision du changement en cours et de ses conséquences. Il laisse deviner une invitation à peine voilée à la quête du sens, car c'est bien l'écho du *quo vadis domine*[2] qu'on entend. Seule ombre au tableau : la remise en question des décideurs risque de favoriser la recherche d'un coupable. Or, il serait possible d'exploiter l'incertitude à des fins plus prometteuses. Quand le quotidien perd son sens, chacun cherche sa voie. Il en résulte des divergences qui pèsent sur le moral de chacun. L'absence d'une vision partagée crée le sentiment d'isolement et de chaos. Définir les moyens de retrouver un équilibre dans ce nouveau contexte, voilà qui remplacerait avantageusement la remise en question des décideurs.

Démuni face à l'obstacle, le président du conseil glisse dangereusement dans le brouillard de l'incertitude, au lieu d'en tirer profit. Il verse dans la recherche de coupables, des responsables du désarroi. Il ne semble pas saisir que la mise en place des conditions du succès passe par la prise en charge de la quête du sens. Comme en témoigne le fait qu'il déplore le jeu des décideurs. Or, comme Paul Watzlawick l'énonçait il y a déjà plusieurs années : la solution c'est le problème, et inversement ! L'organisation change quand les vieux repères s'écroulent, et il en va de même des modèles mentaux. En ce sens, la tâche du président serait d'ouvrir le dialogue, de convier ses troupes à négocier les nouvelles pratiques, de bâtir de nouveaux repères avec ses partenaires. Or, il n'est pas le seul à tâtonner dans le brouillard.

À l'aube du XXIe siècle, la nécessité d'un leadership renouvelé touche pratiquement toutes les organisations : universités, institutions financières, entreprises de production ou de services, toutes sont ébranlées par des restructurations, des suppressions de postes, des rationalisations… et par une crise de la relève. Voilà le véritable bogue de ce début de siècle ! À côté de cela, le bogue informatique de l'an 2000 était une chimère. Il n'en reste pas moins que la mouvance actuelle bouscule les convictions profondes.

---

2. « Où vas-tu, Seigneur ? », question que saint Pierre, fuyant Rome, aurait posée au Christ apparu aux portes de la ville.

La situation risque d'être très difficile justement parce que le défi touche les plus hauts dirigeants, les surhommes d'hier. Habitués à déléguer le fardeau de l'adaptation aux niveaux inférieurs, ils sont ébranlés. Le recours aux consultants d'un jour ne suffira pas. L'incertitude hante déjà les plus avertis. Voilà pourquoi on assiste à un branle-bas : ils partent à la recherche de leaders qui pourraient faire la différence. Mais les leaders « prêts-à-porter » sont rares. Les jeunes loups qui sortent des écoles de gestion ne sont guère mieux préparés au défi que ne l'étaient leurs prédécesseurs. Ils ont été formés dans le plus grand respect des dogmes du management auxquels les anciens maîtres doivent leur succès. Mais, comme le soulignaient avec à-propos Hammer et Champy, les pères de la réingénierie, l'organisation d'aujourd'hui va très mal parce qu'elle était parfaitement adaptée au contexte des années 1970… Et la tentation de recourir aux solutions miracles de l'époque ne fera qu'empirer les choses. Ce constat a poussé ces auteurs à promouvoir la réingénierie du management, puisque la réingénierie des processus marquait le pas faute d'une véritable révision des credo des dirigeants.

Dans cette foulée, le management des compétences apporte une brise rafraîchissante : si chacun parvient aussi facilement à inventer son organisation, la clé se trouve probablement dans le harnachement de cette créativité naturelle, dans sa mise en valeur. Comme le suggère la théorie du chaos, c'est du désordre qu'émerge l'ordre. L'intérêt du point de vue est de transformer l'interprétation : le déséquilibre actuel n'est pas un obstacle, il est le point de départ de la solution. Quand les gens se cherchent, la solution saute aux yeux : ils sont en mouvement dans le changement.

L'affirmation est paradoxale dans le contexte du management traditionnel, mais elle est très juste. Changer signifie rompre avec ses habitudes pour en créer de nouvelles. Toute quête du sens s'accompagne d'une démarche qui suppose nécessairement un apprentissage. Il est donc normal de ressentir une incertitude au départ. Pour le leader, le premier de ces apprentissages recoupe un leitmotiv à la mode actuellement : savoir gérer dans la complexité et l'ambiguïté… Ce qui exige en premier lieu d'accueillir soi-même l'incertitude avec sérénité.

L'incertitude est le carburant du changement

L'incertitude n'est pas le mal du siècle… Elle révèle la conscience d'un environnement en mutation. Elle déclenche la réflexion. Et si le désir de retrouver son équilibre fait naître un sentiment d'urgence chez certains, la solution n'apparaîtra pas évidente avant longtemps car trop de gens tâtonnent anxieusement. La sagesse consiste à faire patiemment le tour du jardin : les succès rapides sont souvent éphémères.

Présentement, la plupart des leaders mettent à l'épreuve leur interprétation des changements en cours. Même la consultation informelle la moins sophistiquée le révèle : chacun tente à sa façon de se construire une représentation de la situation, si brodée d'imprécision soit-elle. Les repères habituels se sont estompés. Faut-il s'étonner alors si la vision de la plupart des leaders comporte des zones de flou et d'incertitude ? Ils sont eux-mêmes entraînés dans le tourbillon. Et quand le compas est déréglé, l'impatience de certains risque de les pousser à ressortir leur vieille armure et à réveiller le Don Quichotte qui dort en eux.

Les armures appartiennent à une autre époque. Pour gérer la complexité dans un contexte d'incertitude, on doit envisager d'autres options, on doit par exemple prendre le temps d'imaginer le changement des autres. Expression accrocheuse que le « changement des autres », mais elle déplace le point de mire. Quel est l'intérêt de ce détour ? Quand une organisation amorce un virage, il n'existe pas de définition unique du changement, mais au contraire une multitude de définitions différentes, dont la présence masque facilement l'essentiel du rôle du leader. Il en va de même dans un environnement en mutation. Chacun tâtonne, dans l'effervescence, et cela accroît la complexité, d'où l'incertitude. On trouve de nombreuses illustrations du phénomène.

Au Québec, si vous osez modifier quelque chose dans l'organisation des soins ou de la santé, l'effervescence règne aussitôt parmi les médecins, les professionnels, les infirmières et les infirmiers, les préposés à ceci et cela. Rapidement, chaque groupe propose une version du changement qui se démarque plus ou moins de celle proposée par l'initiateur du changement. Il s'ensuit des efforts d'adaptation, mais chacun ne tire pas nécessairement dans la direction souhaitée, quand certains ne tirent tout simplement pas dans le sens de leurs intérêts particuliers. Quand le changement est concocté en secret, le pire est à craindre. Il en est ainsi car chaque groupe professionnel se définit, entre autres, par ce qu'il fait… L'identité professionnelle, prise dans le sens de l'appartenance à un groupe précis, crée le contexte qui donne son sens à l'action de chacun.

Puisque nul ne se considère comme quantité négligeable, l'appel au changement est vécu sur un mode passionné, comme une remise en question de la légitimité du rôle de chacun. Si quelqu'un demande que soit modifiée la nature du travail confié à un groupe, il s'attaque indirectement à un rôle bien établi. Or, la personne tend à se confondre avec son travail, l'identité personnelle est intimement liée à l'identité professionnelle. Ne dit-on pas : « je suis directeur général », « je suis urgentologue », « je suis psychologue », « je suis informaticien » ? Voilà le nœud du problème. Toucher au rôle auquel s'identifient les personnes devient une remise en question des personnes.

Dans la société moderne, la hiérarchie des professions est établie depuis longtemps. Elle reflète un ensemble de valeurs sociales traditionnelles bien ancrées. Dans ce contexte, introduire un changement contraint chacun à prendre un virage important qui suppose de repenser son travail, mais surtout de redéfinir sa place dans l'organisation, au risque de voir son rôle perdre de son importance. L'invitation entre en contradiction avec le laxisme qui existe habituellement en matière d'encadrement des contributions individuelles, laxisme qui laissait aux gens tout l'espace nécessaire pour créer leur propre entreprise dans l'entreprise, pour définir leur zone d'influence, leur identité.

Pour un observateur extérieur, l'appel au changement lancé par le leader prend rapidement des allures de guerre des mondes, d'affrontement des professions. La une des médias en témoigne. Il suffit de quelques jours pour qu'apparaisse en éditorial la question inévitable : mais qui sont les vrais patrons ? En fait, s'il en était autrement, il y a longtemps que la question serait réglée. Mais les gens s'identifient à leur rôle. Pour être incisif, disons que le secret qui entoure le changement et l'incapacité du leader à offrir une identité de rechange à ses partenaires sont probablement les causes d'une grande partie des épreuves qu'il subit. Voilà pourquoi l'ancienne organisation, avec sa culture, ses valeurs, ses groupes d'intérêts, défend si chèrement sa peau au sein même de la nouvelle organisation.

La question se pose tout de même : le leader peut-il influencer le cours des choses sans se retrouver seul dans l'aventure ? Imaginer le changement des autres est original, mais que tire-t-on de ce détour ? Y trouve-t-on les moyens de transformer son propre projet de changement en un projet valable pour les autres et, mieux, valable pour tous ? Actuellement, le fatalisme conduit les leaders à baisser les bras. Il s'ensuit que tout se déroule comme si la nécessité de changer n'avait d'égale que la brutalité avec laquelle on négocie le virage, quitte à sacrifier les hommes sur l'autel du changement. Suivre cette approche n'arrange pas les choses. Ceux qui empruntent cette voie ne s'en tirent pas mieux. Souvent même, ils avancent ainsi de crise en crise. Piètre résultat, en vérité. Imaginer le changement des autres est pourtant riche d'enseignements. Emprunter ce détour donne une emprise sur le changement.

Puisque le risque de sombrer dans une crise est constant, la perspective gagne à être inversée si on veut voir plus clairement comment mettre en place les conditions du succès. Ces dernières doivent s'articuler autour du changement des autres. Alors que le surhomme s'estimera naturellement responsable de proposer et de prendre en charge une vision, ainsi que tout ce qu'elle implique, le leader moderne fera plutôt appel à la capacité créatrice de chacun : il y verra les assises de son intervention. Car la responsabilité du leader est bien de lever les obstacles, de rendre les choses possibles. S'il est conscient du danger que constitue une remise en cause des rôles, pourquoi emprunterait-il la voie de l'affrontement ? À l'absurde, nul n'est tenu !

Depuis toujours, court l'idée-force que le changement débute dans la tête de chacun. D'où la conviction qu'on doit nécessairement modifier la culture pour espérer renouveler les valeurs et les attitudes, et que c'est seulement ensuite qu'on peut attendre des modifications de comportement. Dans cette logique, le fardeau de la preuve incombe aux leaders. Ils sont ainsi condamnés à persuader leurs interlocuteurs, à leur vendre des idées, un rêve, et parfois même du vent! Et, comme si ce labeur ne suffisait pas, on les prévient: l'opération prendra de sept à dix ans! Ils se retrouvent dans cette position inconfortable non pas en raison de leur mauvaise foi, car nul n'a réponse à tout, mais parce qu'ils acceptent cette vision de leur rôle et le défi qu'on leur propose. Or, d'autres hypothèses sont tout aussi valables. La réussite de l'opération pourrait notamment passer par une approche consistant à agir d'abord sur les comportements, puis à s'atteler à la transformation des attitudes et des valeurs!

Que faut-il modifier en premier: la culture ou les comportements? La question revient à se demander si la poule vient de l'œuf ou si l'œuf vient de la poule… En passant du pourquoi au comment, le leader moderne s'aventure sur un autre terrain. Il laisse de côté la question des origines pour agir sur le processus. Les travaux de divers chercheurs montrent que ce terrain d'investigation est le creuset de changements profonds, mais le leader ne peut se lancer dans une telle aventure qu'en recadrant le message traditionnel. Le cadre qu'on donne à un problème détermine et limite les solutions qu'on peut lui apporter. En modifiant ce cadre, on se donne des marges de manœuvre.

De nos jours, proposer de «faire plus avec moins» suscite des réactions épidermiques. L'expression rime désormais avec suppressions de postes, alourdissement de la tâche et parfois même avec abus de pouvoir. L'expression s'est vidée de son sens premier, victime de l'usure du temps et d'une utilisation excessive. Elle est devenue le problème, et non une solution! De là à dire qu'un problème existe parce que quelqu'un le pose, il n'y a qu'un pas: au leader de ne pas le franchir, car la façon de poser un problème détermine aussi la manière dont on pourra le résoudre. C'est là un des enseignements qu'on doit tirer de la montagne de recherches menées sur la créativité.

Recadrer l'incertitude

Le recadrage du message permet d'aborder l'obstacle sous un angle intéressant. Faire un détour par le changement des autres invite à s'ajuster à leur vision du changement. Leur cadre de référence devient alors le point de départ de la démarche. Agir autrement équivaudrait à faire fi de ses partenaires. Imaginons un instant qu'on reformule l'expression «faire plus avec moins» pour qu'elle devienne la question suivante: «avec moins, pouvons-nous faire autre chose?» Le défi se situe aussitôt dans un contexte totalement différent: celui d'une recherche de solutions. Inversement, lorsque le leader ne tient pas compte du changement des autres, c'est le côté obscur du changement qui apparaît aussitôt, avec son lot de travers surprenants et de difficultés d'adaptation.

Le changement est pénible quand le leader ignore la signification qu'il prend aux yeux de ses partenaires, quand il tient uniquement compte de son propre cadre de référence. Or, un phénomène devrait lui sauter aux yeux s'il se penche sur la petite histoire récente de la transformation des processus organisationnels à travers la réingénierie. Tout observateur attentif fait ce constat sidérant: ironiquement, avec le temps, les processus s'alourdissent au fil des changements! Le réflexe des organisations est d'intégrer des nouveautés sans éliminer ce qui devient caduc! En quelque sorte, la nouveauté aveugle et, à la longue, le meilleur s'ajoute à l'inutile!

On trouve ce curieux réflexe chez les gens qui intègrent le changement dans leur quotidien. Ils apprennent les nouvelles façons de faire, mais les ajoutent aux anciennes, empilent les nouvelles habitudes sur les autres, sans abandonner ce qu'ils faisaient auparavant. Il en résulte un entremêlement de nouvelles et d'anciennes pratiques. Tout changement qui apporte une valeur ajoutée disparaît alors sous la montagne des habitudes antérieures. Démontrer qu'un tel changement est inutile tient alors du jeu d'enfant... sauf pour qui sait tirer avantage d'une situation en apparence absurde.

Qui voudrait aujourd'hui d'un système comptable qui n'intégrerait pas les nouvelles technologies? Qui se satisferait d'employés s'entêtant à traiter ces données sans recourir à l'informatique? Afin de moderniser la tenue des livres comptables, quelqu'un a déclaré: «désormais, voici ce que nous ferons, il n'y a pas d'autre choix». Les comportements autrefois répandus sont désormais interdits. On a choisi le meilleur et on a éliminé l'inutile. Plutôt que d'affirmer qu'on fera plus vite avec moins de ressources, on a défini clairement ce qu'on ne fera plus à l'avenir. Il en va de même pour tout changement : d'anciens comportements doivent être interdits… Pour mettre en place les conditions du succès, il faut donc formuler le changement sous une forme qui ouvre sur la solution, tout en précisant les pratiques et les comportements qui seront écartés. De ce point de vue, c'est toute la stratégie de communication du leader qui est remise en perspective.

C'est au leader qu'il incombe de formuler clairement le changement, c'est lui le porteur du message. Le principe directeur qui doit le guider se révèle relativement simple : s'il n'indique pas clairement ce qui est devenu inutile, le changement devient pénible, car le fardeau en est alourdi. Et pour les employés, l'*utile* et l'*inutile* ont une traduction concrète : ce sont des actions qu'ils doivent entreprendre et des habitudes qu'ils doivent abandonner. Si les leaders font l'économie d'un dialogue sur la façon dont le changement doit se traduire dans le quotidien de leurs employés, ils dépensent probablement l'essentiel de leur énergie et de leur investissement à attendre que leurs employés découvrent par eux-mêmes, au gré de leurs essais et de leurs erreurs, le sens véritable de ce qui leur est proposé. Il est donc important d'établir un dialogue sur le comment du changement.

Un changement mal orienté entraîne des coûts indirects faramineux. D'où l'importance d'avoir un plan de communication bien articulé. Entre autres inconvénients, l'absence de repères réduit la vitesse d'adaptation au changement et accroît le risque d'erreurs. Elle prive également les artisans du changement d'un minimum d'encadrement, situation qui, la créativité étant ce qu'elle est, provoque une quête de sens dont les effets sont imprévisibles. Sans ces repères, les leaders plongent à nouveau tête baissée dans le piège qui consiste à promouvoir le changement tout en maintenant une pression psychologique sur leurs employés. La situation a pour effet de miner à la fois le moral des troupes et la crédibilité du leader. Le langage du changement passe par le recadrage de l'incertitude.

La création de repères est le fil d'Ariane du changement. Malheureusement, celui-ci est habituellement présenté dans un langage qui convient à un public particulier : celui des leaders. En conséquence, il n'est guère surprenant que le message ait fort peu d'échos auprès de son véritable public cible: les employés, les artisans du changement au quotidien. S'il veut mettre la créativité au service du changement, le leader n'a toutefois pas le choix: pour bien orienter les efforts déployés par ses troupes, il lui faut impérativement traduire le projet en comportements.

Pour faire passer la vision du futur qu'il propose, le leader doit parler à ses partenaires dans un langage qu'ils comprennent, en signalant explicitement les comportements dans lesquels l'adaptation doit se concrétiser. Toutefois, il serait imprudent pour le leader de faire cavalier seul... Cela reviendrait à réhabiliter des pratiques de management traditionnel et, surtout, à conclure que les seules adaptations valables sont celles qu'il propose. Or, les employés connaissent souvent le terrain mieux que personne: exploiter le phénomène présente des avantages.

Si le plan de communication est l'élément déclencheur de l'opération, ce n'est cependant pas une panacée. L'employé a une capacité fantastique à s'inventer un emploi dans son poste. Cela a pour corollaire que la mission du leader consiste à entraîner ses partenaires dans le processus de création de la nouvelle organisation, et non à tout inventer lui-même. En prenant appui sur le pouvoir créateur de ses partenaires, il rend possible l'émergence d'une foule d'hypothèses portant sur le *comment*, et il se libère progressivement du *pourquoi*. Il ne consacre plus son énergie aux causes du changement, mais à sa concrétisation, chacun forgeant dès lors le changement... Voilà qui recadre l'incertitude.

Dans cette recherche de solutions, le leader doit discerner les comportements susceptibles de faire avancer la cause, tout en indiquant ceux qui sont devenus contre-productifs. En accomplissant cette tâche, il ne peut pas prétendre être le seul forgeron. Le leader initie le processus, mais il doit aussi lâcher du lest. Il ne peut pas contourner l'obstacle que constitue la créativité débridée de ses troupes sans en payer le prix. Sa stratégie doit l'amener à descendre sur le terrain pour donner une signification concrète à sa vision. Il doit avoir la sagesse de valoriser l'apport des artisans du changement.

Ce rapprochement permettra de clarifier les mandats qui seront respectivement assumés par les artisans du changement et par le leader. Les rôles se précisent. La stratégie présente aussi l'avantage d'éclairer le leader sur les critères dont il aura besoin pour assurer le suivi du changement. À ses propres « repères de pilotage » s'ajoutent des repères liés à l'action, qui sont bien plus précieux que le plan d'origine, ainsi qu'une compréhension différente du droit à l'erreur…

Avec la reconnaissance du droit à l'erreur, la boucle est bouclée. C'est le dernier élément du recadrage de la perspective du leader. Si beaucoup de choses ont été dites sur ce droit à l'erreur, il demeure néanmoins quelque peu obscur, comme s'il allait de soi par principe, sans qu'on prenne pour autant conscience de toute sa signification. Or, si rassurant que soit ce droit à l'erreur dans un contexte d'incertitude et de turbulences, on peut se demander en quoi il répond à un besoin véritable, en quoi il constitue une nécessité. Tout appel au changement s'accompagne d'une invitation à redéfinir la performance professionnelle, mais la plupart du temps cette dimension demeure implicite. Or, si le changement cause un stress lié à une perte du sens du quotidien, il est naturel que les gens redoutent de prendre ce virage.

Une question hante l'esprit de chacun : « Quelles seront les conséquences de mon engagement ? » Cette interrogation traduit la peur de ne plus être à la hauteur de ses performances passées et de perdre sa tranquillité d'esprit. Cette réticence ne doit pas être sous-estimée… Elle est liée aux effets du changement sur les individus : la disparition des repères habituels, le déséquilibre dû aux turbulences. Cela souligne combien l'organisation respire au rythme de ses cerveaux. Saisir cette nuance est d'une importance capitale : elle montre la voie à emprunter.

En ce sens, le management des compétences va au-delà de la simple prise en charge de la capacité humaine. Il englobe la question plus large de l'exploitation du potentiel de ses partenaires. Qu'a-t-on à offrir à ses partenaires, en plus d'un droit à l'erreur qui ne lève pas toutes les inquiétudes suscitées par la nouvelle définition de leur performance ? Cette question contribue à clarifier ce que devrait être le rôle du leader. Le leader est bien plus que le gardien de l'or gris : sa responsabilité est de faciliter l'expression des compétences qui sommeillent. Et Dieu sait combien il est ardu de quitter le confort rassurant des habitudes pour s'aventurer hors de ces zones où notre performance était sûre et reconnue! La tâche du leader est lourde. Encore une fois, il doit recadrer sa perspective, voire encourager l'expérimentation et même le tâtonnement.

Le management des compétences altère le changement. Dans cette approche, le changement se définit comme un projet partagé, un défi qui a pour toile de fond une responsabilité mutuelle d'apprentissage. Le leader relève ce défi en assumant d'abord la transformation de son propre rôle, avec le lot de tâtonnements que cela implique. Accompagner ses partenaires dans la création de nouvelles habitudes se révèle être une tâche complexe. Il revient au leader d'aider les autres à réussir, de les accompagner dans la découverte de leurs capacités d'être et d'agir autrement. Mais il ne peut le faire que s'il change lui-même de comportement et d'emploi, s'il adapte ses repères de performance. Comme ses partenaires, il se rend compte que les anciens comportements qui étaient les garants de son succès n'ont plus la même pertinence.

Exploiter le déséquilibre

En plongeant lui-même dans le changement, en s'appliquant à créer pour lui-même de nouvelles habitudes plus favorables, le leader déclenche une réaction en chaîne. Il provoque automatiquement une dynamique d'ajustement réciproque. La puissance de cette tactique repose sur le réflexe d'adaptation de ceux qui l'entourent, comme en témoigne l'anecdote suivante, rapportée par Paul Watzlawick, un passionné du pouvoir de la communication paradoxale. Cette anecdote nous rappelle combien le comportement global est un message puissant. Les comportements humains s'ajustent les uns aux autres tel un mobile en mouvement vers un nouvel équilibre.

Après le mariage de leur fils unique, un couple avait de la peine à s'adapter à ce changement. Chaque fin de semaine, les parents débarquaient chez leur fils sous prétexte de lui rendre service. Pelouse, fleurs, jardin, peinture, bricolage : tout y passait. Le père reprenait son rôle, et le fils voyait fondre son intimité au gré de corvées interminables. Mais le fils se soumettait de bonne grâce : son père ne lui voulait que du bien!

Au début, lui et son épouse comptaient sur l'usure du temps, en se disant qu'à la longue les choses finiraient par se tasser à la satisfaction de tous. Mais la patience a ses limites, et le couple en vint à la conclusion qu'il devait faire quelque chose pour sortir de l'impasse sans blesser les parents. Pour rompre le manège, le fils modifia son comportement suite à un éclair de lucidité. Ce changement permit une nouvelle interprétation de la situation, un recadrage de perspective.

Sans prévenir de ses intentions, il attendit l'arrivée des parents pour déclarer qu'il devait s'absenter : en ce beau samedi ensoleillé, il devait malheureusement aller au travail. Quant à son épouse, elle devait se rendre à l'hôpital pour y subir des tests annuels qui risquaient de l'occuper toute la journée. Ajoutant au désarroi de ses parents, le fils leur donna une liste détaillée de petites corvées à effectuer, tout en s'excusant de les abandonner ainsi et de les quitter en catastrophe. Les époux disparurent aussitôt, laissant les parents pantois, sous le choc.

La semaine suivante, le père téléphona à son fils pour lui expliquer qu'il était maintenant un adulte et qu'il devait apprendre à se débrouiller seul. Repentant, le fils accusa le coup et retrouva son intimité. Voici en quoi réside le génie de la stratégie qu'il avait employée : il avait redéfini son problème pour en faire une solution, il avait exploité la capacité d'adaptation de ses parents à son avantage.

Au-delà du caractère amusant de la situation, cette anecdote illustre le fait qu'en changeant de comportement on provoque nécessairement des réactions d'adaptation chez les autres. On imagine facilement que les parents en conclurent, dans un premier temps, que la bonté avait ses limites, puis, sans même s'interroger sur leur propre comportement, qu'ils devaient s'ajuster pour éviter que la situation empire ! Cet ajustement provoqué par un comportement nouveau est l'une des clés maîtresses de la gestion du changement.

Si le leader modifie ses comportements, sans attendre que ses partenaires le rejoignent là où il est rendu, ces derniers s'ajusteront automatiquement en réaction. Le risque est bien sûr d'avancer à tâtons, mais il suffit d'accepter ce risque pour pouvoir ensuite bâtir le changement en s'appuyant sur les efforts d'ajustement de chacun. Il y a là un principe directeur intéressant. À l'enseigne de ceux que rebute l'idée de prendre le premier risque, peut-être faut-il ajouter ceci : des décennies de recherche en développement organisationnel laissent penser que d'autres options plus familières ne sont guère plus rassurantes. Ainsi, transformer la culture d'une organisation à travers des interventions classiques exigerait de sept à dix ans d'efforts ! S'engager de la sorte dans le changement confine à l'absurde quand on sait à quel point la vitesse de réaction est devenue cruciale. On peut difficilement imaginer comment la voie de la créativité pourrait être pire que le statu quo, surtout quand elle permet au leader de prêcher par l'exemple et de joindre les actes à la parole. Dès lors que la direction elle-même accepte de bouger, refuser le pari du changement ne semble plus très légitime...

Le management des compétences invite à inverser la logique traditionnelle, à recadrer l'exercice d'un leadership mobilisateur sur la base d'un engagement personnel : la clé est de faire le premier pas à ses risques. Le leader qui s'engage dans cette voie découvre la véritable signification de l'expression « prêcher par l'exemple » et se donne la chance irremplaçable de vibrer au diapason de ses troupes. S'il modifie ses comportements en vue de faciliter une transformation des attitudes et des valeurs chez ses partenaires, c'est justement parce qu'il a conscience de la puissance de l'engagement. Plutôt que d'attribuer une existence autonome à l'organisation, il s'appuie sur les gens qui la font et retrouve avec eux le pouvoir de la forger et de redéfinir ses contours. Il fait de l'organisation un projet collectif, auquel chacun peut adhérer sans y disparaître, plutôt qu'une prison dont il serait le plus intransigeant gardien. Le changement n'est plus alors une guerre à mener avec des troupes réticentes, mais un processus dans lequel chacun s'aventure.

5

Des conditions de succès

La vision du changement proposée dans le management des compétences s'attaque à la tendance que les leaders privilégient par réflexe: aborder le changement sous l'angle classique de la transformation de l'organisation. La métaphore de l'organisation-machine disparaît au profit de la métaphore de l'organisation-cathédrale: l'organisation est alors vue comme une œuvre collective qui s'enrichit de l'apport de chacun de ses artisans. Mettre en place les conditions du succès ne se résume plus à décrire une série d'étapes qui permettraient d'atteindre le but comme par magie. Le leader se débarrasse ainsi une fois pour toutes de l'illusion créée par ces visions aseptisées du changement, articulées sans trop d'égards pour le phénomène humain. Tous les artisans du changement, y compris le leader, se retrouvent au centre du processus. Par son attitude, le leader démystifie au profit de tous un mythe qui a la peau dure: la conception linéaire du temps du changement n'a rien à voir avec la manière dont il est vécu, avec son caractère dynamique.

Pour procéder à ce recadrage, le leader doit en conséquence revoir en profondeur sa conception du «pilotage du changement». Quand le centre de gravité passe du plan aux personnes qui le traduisent en actes au quotidien, l'expérience de la turbulence apparaît sous un jour nouveau, et, de surcroît, on en tire des conclusions fort différentes. L'essentiel de l'énergie n'est en effet plus utilisé pour gérer les réactions aux étapes prévues dans le plan traditionnel, mais pour mettre en œuvre des processus qui appuient les efforts d'adaptation.

Que sert au leader d'effectuer un bilan aseptisé de ses interventions si cela le conduit à rater l'essentiel? Tel est le leitmotiv dissimulé derrière la priorité accordée aux personnes. Avec la teneur humaine du changement, ce sont les hypothèses rationalistes qui sont contredites, et c'est la présence réaffirmée d'un facteur critique : les personnes qui donnent vie au changement. Ce leitmotiv invite à admettre l'importance des artisans du changement et à renoncer à l'idée reçue voulant qu'on n'en finirait plus s'il fallait s'en soucier ! En d'autres mots, il est dérisoire de laisser de côté ces petites choses dites secondaires, telles que la complexité et l'imprévisibilité des réactions humaines, si elles doivent alors compliquer tout le reste !

Au contraire, elles offrent des leviers puissants. Elles constituent même le premier repère qui permet d'imaginer les conditions de succès qu'il faut mettre en place pour que la capacité d'adaptation joue en faveur du changement. Le leader qui s'écarte de cette voie s'expose aux conséquences d'un mythe du management classique qui privilégie les opérations et le plan de réalisation, il risque de perdre de vue que son levier le plus puissant est la capacité créatrice des artisans du changement. Pourtant, ce que vivent les victimes du mythe au quotidien ne laisse planer aucun mystère.

Le menu n'est pas le repas. Une telle affirmation ne surprend personne. Dans le même ordre d'idées, le plan n'est pas l'action : il reflète une vision idéalisée des grands moments du changement et évacue les retours en arrière inévitables qui en ponctuent la route. Il n'est qu'un pâle reflet de la réalité justement parce que le changement passe par les personnes. Quand par malheur il devient le premier instrument de navigation, les retards sont interprétés en fonction d'un échéancier qui ne tient aucun compte des deuils successifs qui marquent naturellement ces mêmes grands moments.

À cet égard, les plans et les échéanciers n'offrent au mieux qu'un vague synopsis des événements. Quand la pièce débute, la scène s'anime grâce au jeu des acteurs. La véritable histoire est le fruit de leurs réactions, de leurs attitudes et de leurs façons de traduire le changement dans leurs actes quotidiens. Ils incarnent les personnages prévus dans la distribution. Et comme le metteur en scène, le leader est alors responsable de leur jeu, il est le gardien du message et du sens. Son rôle est de faire en sorte que le scénario soit respecté, de guider les acteurs qui incarnent l'histoire, afin que la vision de l'avenir demeure présente à l'esprit de ses partenaires. Le jeu donne alors corps à la quête du sens déclenchée par l'action.

Mettre en scène le changement au quotidien constitue un défi peu commun. Ce rôle va à l'encontre des réflexes et des habitudes de la majorité des dirigeants. Loin d'être un signe de mauvaise volonté, ces habitudes traduisent la forte emprise que les principes du management traditionnel, et notamment le plan, exercent encore sur les esprits. Malheureusement, ces habitudes conduisent aussi le leader à se comporter comme si un problème familier était préférable à une situation nouvelle. Dès qu'un obstacle apparaît, le leader est tenté de reprendre le contrôle de la situation en usant de son autorité hiérarchique, ce qui révèle à l'évidence l'existence du plan B : le plan de redressement. Le leader se prive alors des avantages offerts par la créativité de chacun, dont il bloque les premières manifestations. L'anecdote qui suit illustre ce réflexe.

Un directeur de service entretenait l'espoir d'initier une réforme de l'approche client privilégiée par les professionnels de son secteur. Aussi leur confia-t-il la mission de définir de nouveaux processus, qui devaient dans son esprit conduire à une segmentation des portefeuilles d'affaires. Il voyait déjà ses troupes en train de se répartir la responsabilité de l'offre de service en partageant leurs expériences respectives et en tirant profit des meilleures pratiques imaginées par chacun. La situation se détériora rapidement, dès les premières discussions. Les professionnels s'affrontèrent tels des coqs qui cherchent à asseoir leur pouvoir sur la basse-cour…

Déçu par la tournure que prenaient les événements, le directeur voulut reprendre le contrôle de la situation. Convaincu du bien-fondé de l'objectif poursuivi, il décida arbitrairement de forcer la main à ses partenaires : chacun aurait un portefeuille mixte, option qui lui semblait la plus appropriée étant donné les circonstances. Il ne voulait pas passer plusieurs mois à concrétiser le changement, d'autant moins que ses meilleurs conseillers lui déclaraient qu'ils perdaient un temps précieux en vaines discussions. Craignant de perdre toute sa crédibilité, il emprunta la voie hiérarchique : il imposa sa solution, attitude classique qui ne fit pas que des heureux.

Cette réaction ne surprend guère. Elle s'inscrit dans le droit fil du management traditionnel. Pourtant, elle montre à quel point il est parfois facile de rater l'essentiel lorsqu'on est obnubilé par un résultat donné… L'intention du directeur était tout à fait louable. Il désirait tirer profit des expertises afin d'améliorer l'approche de l'organisation du travail. En cela, il était fidèle aux leitmotivs d'un management essoufflé qui joue sa dernière carte en essayant de rapprocher la décision du terrain. Certes, les artisans du changement détiennent des informations clés sur la meilleure façon d'atteindre les résultats recherchés, le fait est établi. Mais les vieux réflexes ont la vie dure, comme en témoigne la réaction de ce directeur.

Au premier obstacle, la décision retourna dans le giron hiérarchique. Adieu synergie, adieu concertation ! L'arbitrage des points de vue n'eut jamais lieu. Le metteur en scène avait déchiré son scénario original sans même se rendre compte que les conditions de succès n'avaient pas été mises en place. La recherche de nouvelles pratiques céda la place au respect des normes. Adieu organisation apprenante ! Le directeur écarta ainsi le risque, protégea sa crédibilité en affirmant son autorité.

En se faisant l'apôtre du *co-développement*, le directeur écorchait au passage un tabou profondément ancré dans les traditions du management classique : le principe de l'unité de commandement. Il invitait ses partenaires à s'impliquer dans un domaine dont ils étaient depuis toujours exclus. C'était là compter sans le pouvoir structurant, et surtout très hasardeux, de la tradition, car il n'avait prévu aucune mesure particulière pour aider ses troupes à mener à bien cet exercice inhabituel. Avec du recul, il reconnaît volontiers aujourd'hui que son approche était bien naïve. Faute d'un processus d'accompagnement, l'échec était écrit d'avance.

La chose va de soi, tout changement suppose un apprentissage. Si séduisante que soit cette formule, elle comporte aussi une part de non-dit : il est nécessaire de mourir à certaines habitudes. Changer exige une forme de renonciation : il faut abandonner des gestes, des façons de faire et de penser qui donnent un caractère familier et rassurant à l'action et au quotidien. À ce titre, l'invitation à participer au changement n'est qu'un point de départ. Le rôle plus fondamental du leader est d'accompagner ses troupes dans l'aventure. Il lui revient de clarifier les véritables enjeux, de s'attarder à la dynamique qu'il initie.

À l'opposé, l'illusion consiste à imaginer que les acteurs ont une vision claire des résultats visés et que, d'entrée de jeu, leurs perspectives respectives les conduisent aux mêmes conclusions. Verser dans ce travers revient à les abandonner au flou obscur. Le leader qui est victime de cette illusion perd de vue un aspect délicat de son rôle : l'obligation de traduire sa vision du changement dans les termes d'une action quotidienne qui lui donne un sens. Comment concrétiser le rêve à travers des gestes nouveaux, telle est la question. Et si le leader ne détient pas toutes les réponses, il ne peut se soustraire à la démarche qu'elles supposent sans laisser échapper l'essentiel.

Piloter la quête du sens

Le changement s'accompagne nécessairement d'une quête de sens, qui découle de la disparition des repères habituels. Cette quête a pour corollaire un processus de négociation qui débouche sur une nouvelle réalité partagée. Cette succession d'effets brise le cycle des actions isolées qui étaient jadis légitimes, remet en question l'à-propos d'une démarche fondée sur la vision actuelle des choses. Nous l'avons déjà souligné, il existe dans l'organisation plusieurs versions de la réalité, dont certaines paradoxalement s'opposent ! Quand un leader introduit l'idée d'un changement, il accentue l'écart existant entre des visions qui cohabitaient jusque-là pacifiquement. L'erreur la plus répandue en matière de gestion du changement est de négliger ce phénomène. Mais comme le plan d'action tient lieu de gouvernail, il s'ensuit que le leader ignore en bonne partie la nature de la crise d'identité dont il est l'initiateur !

Le management des compétences est à cet égard un défi lancé au leader qui entend instaurer une synergie entre les différentes expertises qui lui sont confiées. Pour saisir la portée de ce défi, il est essentiel de comprendre la dynamique qui forge la réalité quotidienne de l'organisation. Cette réalité n'est pas une donnée de départ, elle est tout sauf uniforme : elle est le fruit d'un processus qui se déroule en arrière-plan.

Au fil du temps, les gens construisent leur interprétation de l'organisation, et celle-ci définit en retour la légitimité des comportements qu'ils adoptent. Malheureusement, si ce phénomène paraît évident aux yeux du leader qui s'efforce de familiariser un nouvel employé avec les habitudes de l'organisation, il l'est beaucoup moins lorsque le leader se trouve démuni face aux exigences du changement. Constat pénible, s'il en est. Les cadres qui suivent des programmes de formation sur mesure expliquent cette difficulté par un glissement de perspective : leur compréhension du contexte dans lequel a lieu le changement est altérée, et cela les conduit une évaluation erronée de ses exigences.

Au fil des discussions, les cadres découvrent progressivement qu'ils abordent le changement en se fiant à un cadre de référence inapproprié. Peu familiarisés avec le pilotage de la dynamique des comportements, ils reconnaissent qu'ils assimilent le changement à un obstacle et en aucun cas à un processus éducatif. Cet angle d'attaque biaise leur lecture des événements et leur interprétation des comportements. Ils assimilent les difficultés à des manifestations de résistance et les comportements indésirables à un refus de s'engager dans la transformation. Naturellement, ils en concluent alors qu'il est inutile d'ouvrir quelque débat que ce soit sur leur rôle, sur la part active qu'ils doivent avoir dans le processus. Mettre en place les conditions du succès se résume alors à débusquer les poches de résistance. Or, changer c'est apprendre.

Quand la perspective bascule, quand on définit le changement comme un apprentissage, assimiler les résistances à des symptômes permet de voir la face cachée du changement. Mais cette perspective est peu familière aux leaders. Ils achoppent sur les parents pauvres du management traditionnel : la formation du personnel, l'art du management des compétences et la gestion de l'or gris.

Le management des compétences exige des habiletés particulières en matière de négociation interpersonnelle et de communication. Il suppose la création d'une réalité partagée et un engagement personnel à agir de façon cohérente avec cette réalité. À ce titre, il remet en question les modèles mentaux du leader et, surtout, invite celui-ci à accroître son habileté à favoriser le développement des compétences de ses partenaires.

Selon ce principe, les conditions du succès ne sont pas nécessairement d'ordre technique. Ces conditions relèvent d'un processus plus large, dont elles sont une composante essentielle : le processus de l'apprentissage, condition sine qua non pour qu'existe l'organisation apprenante. Victimes de l'approche mécaniste et de leur formation antérieure, trop de leaders assimilent les individus à des engrenages peu complexes qui n'ont besoin que d'un peu plus de lubrifiant... Ils ignorent que le changement crée un besoin d'apprentissage et ils s'engagent dans des bras de fer alors qu'ils devraient porter attention aux attitudes, aux habitudes de travail, aux traits de culture de leur entreprise. Non que les aspects techniques soient sans importance. Au contraire, ne pas en tenir compte introduirait un facteur de risque. Mais ils comptent bien peu comparés aux effets des modèles mentaux qu'on perçoit en arrière-plan et à la rééducation dictée par le changement. S'ils négligent ce besoin d'apprentissage, les leaders accroissent un stress dont ils souhaiteraient eux-mêmes être exempts.

Chaque fois qu'un changement survient, les réflexes habituels deviennent caducs et le stress plane sur le quotidien de chacun. Les gens perdent leurs repères ! Au fil du temps et des événements, les individus adaptent leurs comportements aux circonstances, et c'est en s'accumulant que ces comportements constituent des modèles mentaux. Ces modèles sont le reflet d'expériences antérieures : les comportements qu'elles ont suscités se sont progressivement érigés en principes directeurs de la conduite quotidienne. Il est nécessaire de tenir compte de ces modèles dans le contexte de mutation rapide qui existe maintenant. Ce phénomène marquait moins l'imagination autrefois en raison des longues périodes d'accalmie qui suivaient chaque changement. Mais le temps d'adaptation s'est contracté dans la mesure même où le rythme du changement s'est accéléré. Les à-coups qui ont marqué la course à la qualité révèlent combien la nécessité de s'adapter, qui s'impose à tous, a engendré de fortes pressions sur les modèles mentaux.

Les premiers moments de la guerre de la qualité furent marqués par une valse-hésitation. S'il est aujourd'hui clair que la qualité est l'affaire de tous, c'était loin d'être un réflexe au départ. Les dirigeants ont dû apprendre. Le répertoire des comportements nécessaires s'est construit progressivement. La transition ne s'est pas déroulée sans heurts. Quelques-uns ont même tenté de se simplifier la vie. Face à la difficulté, ils ont opté pour la création d'une direction spécialisée dont la mission était de faire respecter la charte de la qualité. Ils ont cru régler la question en ajoutant une nouvelle case à l'organigramme. Résultat : au lieu d'être l'affaire de tous, la qualité est devenue l'affaire de quelques-uns, de quelques personnes qui ont vite fait l'objet de tous les quolibets… En effet, leur mission avait des ramifications dans tous les secteurs de l'organisation et, pour l'honorer, ils durent intervenir dans les secteurs qui ne relevaient pas d'eux, ce qui leur valut bien des résistances et suscita bien des affrontements : ils étaient devenus les policiers de la qualité !

En l'absence d'un répertoire d'adaptations appropriées, qui laisse entrevoir des voies à suivre, le pilotage du changement semble plus complexe. S'il en va ainsi, c'est justement parce que les gens ignorent comment concrétiser le changement. Dans ces circonstances, la tentation devient forte de définir les personnes comme des obstacles qui doivent être exclus de l'équation. Lorsqu'on comprend ce phénomène, on se rend compte de ce côté absurde de l'équation, on se rend compte que les artisans du changement sont incontournables. Malgré tout, les managers traditionnels sont exposés au risque de sombrer dans ce non-sens s'ils s'en tiennent à l'approche dictée par leur vieille métaphore, à cette vision qui assimile l'artisan du changement à une poche de résistance potentielle.

Les modèles mentaux ont la couenne dure. Ils entraînent la création de réflexes, même chez les cadres. Et qui dit réflexe dit automatisme, absence de réflexion. L'existence de tels automatismes doit inciter à la plus grande prudence. Mettre en place les conditions du succès signifie d'abord relever les défis liés à la gestion des personnes, les défis qui reportent l'attention sur l'apprentissage de nouveaux comportements, sur des stratégies destinées à implanter un cadre de référence approprié, sur la reconstruction des modèles mentaux. La tâche est complexe pour les leaders habitués à se contenter de plans d'action rudimentaires.

La direction d'une entreprise de services souhaitait modifier les habitudes de travail d'un groupe d'employés dans l'espoir d'accroître son volume d'affaires. Le diagnostic révélait que ces employés s'étaient progressivement éloignés de leur mission initiale, qui consistait à créer des relations d'affaires. Avec le temps, ils en étaient venus à effectuer des travaux administratifs qui auraient dû être assumés par des agents d'administration.

La direction s'attaqua au problème comme s'il s'agissait simplement de réajuster les missions. Dans cette optique, elle lança une opération de « retour aux sources ». C'était compter sans les répercussions des habitudes et des automatismes qui s'étaient enracinés. Dès que le projet fut annoncé, il souleva un tollé : il existait une relation de confiance entre ces employés et les clients, et cette relation serait compromise si des agents administratifs venaient s'y immiscer, tel était le leitmotiv des employés. Ce fut du moins la conclusion de la direction, qui perçut ce leitmotiv comme le principal motif de résistance.

Une analyse plus fine de la situation aurait permis d'y voir plus clair : revenir aux anciens processus entrait en contradiction flagrante avec la définition de la qualité de service que ces professionnels avaient forgée au fil du temps dans la pratique quotidienne. Là résidait le hic : revenir en arrière était pour eux synonyme de diminuer la qualité. Autrement dit, cela revenait à remettre en cause des années d'efforts et à nier leurs repères de performance ! Il n'en fallait pas davantage pour que les boucliers se lèvent.

L'anecdote illustre bien le caractère paradoxal de la situation. Elle met en évidence le fait que les employés avaient bel et bien élaboré une vision très articulée de leur rôle. En effet, pour eux, une relation d'affaires de qualité signifiait qu'ils devaient assumer l'ensemble du processus : de la prise de contact jusqu'au contrôle de la qualité des activités administratives. La direction était dans l'impasse. Si elle se rangeait à l'avis de ses employés, la stratégie qu'elle avait mise au point pour stimuler la croissance passerait nécessairement par l'ajout incessant de nouveaux employés ! Cette conséquence était inévitable et elle conduisait rapidement à une conclusion décevante : à leur tour, ces nouveaux employés atteindraient rapidement leurs limites, en raison de la charge de travail qu'ils ne manqueraient pas, eux non plus, d'assumer.

Pour venir à bout de cette résistance évidente à ses yeux, la direction proposa un exercice de révision des pratiques qui devait se nourrir des contributions des employés. Erreur magistrale, s'il en est ! Cette approche revenait à exiger des employés qu'ils se sabordent eux-mêmes pour que la direction y trouve son compte… Nouvelle impasse. Les enjeux furent alors assimilés à des questions opérationnelles et logistiques, en dépit des arguments et des informations fournies au groupe de travail. Chaque tentative d'aller de l'avant fut analysée à la lumière du cadre de référence défini par les habitudes des employés, dont le centre d'attention, leur définition de la qualité du service, n'avait pas bougé d'un iota… La direction avait sous-estimé la complexité de l'opération.

Cette anecdote révèle non seulement le caractère paradoxal du changement, mais aussi combien il est important d'entrer dans l'univers de l'autre. Malgré toute sa bonne volonté, la direction de cette entreprise de services agissait sous l'emprise d'un réflexe qui l'amenait à situer le défi dans un contexte inapproprié. Elle fonctionnait ainsi conformément à sa propre vision des choses, sur la base d'une hypothèse erronée : le changement devait être présenté dans la logique de cette seule vision. Or, il existait de multiples définitions de l'organisation, donc des visions qui procédaient d'une logique à laquelle elle restait totalement étrangère en agissant de la sorte. En s'appuyant uniquement sur sa vision, la direction s'interdisait de comprendre sur quoi elle butait. Et dans un tel contexte, elle était incapable de découvrir sur quelle base elle pourrait proposer de reconstruire une perspective de la situation qui serait partagée par tous.

Conformément à leur conception de la qualité du service, les employés s'engagèrent activement dans la logistique des opérations, tout en déplorant ensuite d'être débordés par la charge de travail, phénomène dont ils étaient en partie responsables. Illustration exemplaire de l'art de faire son propre malheur ! Dans ce cadre paradoxal, les interventions de la direction se heurtèrent à cette définition du professionnalisme qui interdisait par principe d'ajouter un relais entre les employés et les clients. Le paradoxe n'ayant pas été débusqué, il n'y avait rien d'étonnant à ce que la situation reste bloquée ! Faute d'un débat sur ce paradoxe, il était illusoire d'espérer mettre en place les conditions nécessaires au changement. S'abstenir de ce débat entretenait l'impasse, et tous les arguments avancés menaient automatiquement à l'escalade.

Le changement souhaité par la direction n'était possible que si on reconfigurait cette conception paradoxale de la qualité du service, fondée sur les pratiques professionnelles et le confort qu'elles procuraient aux employés, et non sur le client et ses besoins. À cet égard, les conditions du succès ne se limitaient pas à un éventail de moyens : elles s'inscrivaient dans l'ensemble plus vaste qu'est la quête du sens.

Le fil conducteur qui traverse ces anecdotes révèle le lien étroit qui existe entre les différentes dimensions que constituent les pôles *volonté, capacité* et *conditions du succès.* Une analyse « en silo » masquerait le fil d'Ariane. Ainsi, dans la situation vécue par ces employés et leur direction, la capacité des employés n'était pas remise en question : leur compétence était bel et bien avérée, ce que la direction, à juste titre, ne contesta jamais. Toutefois, il appert que les conditions du succès ne pouvaient être réunies sans que soit levé un paradoxe qui mettait directement en jeu la volonté des employés et leur disposition à concevoir une définition de la qualité du service différente de la leur.

Si les comportements quotidiens semblent en cause de prime abord, les attitudes et les a priori des employés le sont bien davantage ! Encore faut-il préciser que cela ne traduit ni bonne ni mauvaise volonté de leur part. Leur sincérité semble évidente. Pour saisir le véritable enjeu, et pour espérer dénouer l'écheveau, le préalable est de comprendre la dynamique issue des modèles mentaux : là résident les germes du paradoxe. La chose devient plus évidente quand le cadre de référence des employés est mis à nu. Le premier pas à franchir est de faire le diagnostic de la dynamique.

Au départ, les employés affirment que la relation de confiance s'établit petit à petit avec un client. Soutenir qu'elle se construit progressivement est conforme à l'esprit d'une orientation qualité. Toutefois, aux yeux des employés, cette relation de qualité devient ensuite *exclusive* : le client ne voudrait traiter avec personne d'autre que son interlocuteur habituel, d'où l'hérésie de passer par le relais d'un agent administratif. Suivant cette logique, l'énoncé de départ des employés a pour corollaire que la qualité du service n'est possible que si l'excellence est là tout au long du processus, y compris pour les aspects logistiques. La boucle est alors bouclée, le piège se referme progressivement.

Dans un second temps, les employés acceptent de bon gré d'être responsables du maintien de la qualité de la relation d'affaires, dont ils estiment être le pivot central. De plus, ils déplorent d'être obligés de se plonger dans la logistique aux dépens de la mise en place de nouvelles relations d'affaires. Ils accusent le coup tel le pécheur repentant victime du démon. Le piège se resserre sur la proie… Le mal devient la conséquence du bien. Finalement, comme le mal découle du bien, ils sombrent dans le paradoxe d'une double contrainte. Cette fois, la proie est bel et bien piégée!

La double contrainte est un piège dont les effets sont désastreux. Une fois que cette contrainte est installée, aussi bien le prisonnier que celui qui tente de rompre le piège en deviennent les victimes. On le constate dans le dilemme vécu par la direction. Quand elle s'attaque à la situation, elle doit nécessairement remettre en question le bien-fondé de la vision de la qualité proposée par ses employés. Dans un tel débat de fond, la réflexion est poussée jusqu'au point où elle remet en cause des convictions profondément ancrées… En effet, les employés seront-ils disposés à modifier leur vision de la qualité au risque de voir une partie de la logistique passer dans d'autres mains? Seront-ils prêts à accepter le risque de céder une partie du contrôle de la situation? Ils préféreront peut-être jongler avec un problème familier, plutôt que d'avoir à faire face à l'incertitude que fait peser l'ajout d'un relais…

Face à tant d'incertitudes, la direction recula. En agissant de la sorte, elle validait dans les faits la vision de la réalité proposée par ses employés. Dans de telles circonstances, aucune condition de succès ne saurait pallier le refus de tenir le cap. La dynamique des employés rendait le débat inévitable. Obtenir d'eux qu'ils s'engagent à réviser leur définition de la qualité était un passage obligé. Cette affirmation appelle quelques précisions.

Le management des compétences suppose l'abandon de vieux réflexes, et notamment celui qui consiste à éviter les débats de fond qui troublent l'harmonie entre le leader et ses partenaires. Mais à quel prix? Si la définition de la qualité adoptée par les employés reste inchangée, le diagnostic révèle qu'on devra accepter leurs préférences et, surtout, leur désir de contrôler eux-mêmes l'ensemble du processus. Ce qui se traduira par la nécessité d'embaucher d'autres employés et par des coûts plus élevés… L'organisation abandonne alors ses objectifs… Est-ce vraiment la voie à suivre?

En second lieu, par souci d'harmonie, faut-il épargner une vision de la qualité qui amène à légitimer une emprise des employés sur le partage des rôles et des responsabilités dans l'organisation? Plus important encore, peut-on accepter de les voir consacrer leur temps à des tâches logistiques pour lesquelles ils sont surqualifiés? La question se pose. Les coûts du réflexe sont prohibitifs!

On peut d'autant moins faire l'économie de ce débat de fond que les employés, mis face aux conséquences engendrées par leurs préférences, versent même dans la contestation à peine voilée: ils s'opposent à la construction d'un consensus autour d'une vision renouvelée, une perte de temps à leurs yeux. Si le leader recule devant l'obstacle, son propre comportement contribue à bloquer la dynamique de changement. Il cède aux pressions des employés qui affirment leurs préférences avec véhémence, et il devient dès lors impossible d'étudier les caractéristiques d'un nouveau processus. Voilà pourquoi le leader doit s'engager, voilà pourquoi son comportement doit être à l'image de ce qu'il demande à ses troupes. En d'autres termes, encore une fois, le changement commence par soi, et de cet effort d'adaptation résultent des ajustements en chaîne.

Pour conclure sur cette anecdote, les règles du jeu demeurèrent inchangées et l'exercice de révision se résuma malheureusement à ajouter du meilleur à de l'inutile. Les employés retournèrent vaquer à leurs occupations avec le sentiment que quelque chose clochait, sans pour autant modifier leurs convictions initiales sur la manière de jouer leur rôle. Pire, quelques-uns virent dans ce processus avorté la preuve d'ambitions démesurées chez une direction mal informée de la complexité de leur fonction… Ainsi arriva-t-on à un échec en restant à la surface des choses, par souci de ne pas faire de vagues…

Le leader s'interdit de forger de nouveaux comportements ou de nouveaux modes d'intervention à la mesure des changements qu'il réclame, dès l'instant où il se résigne à ne pas remettre en cause des habitudes, les siennes y compris. Au risque de conclure par un lieu commun, si le leader ne change pas lui-même, il devient le premier obstacle dans la marche vers ses objectifs. Les principes de management auxquels le leader adhère conditionnent la mise en place des conditions du succès. Comme le souligne Champy (1995) dans son dernier ouvrage, la réingénierie des processus a des résultats mitigés quand elle ne s'accompagne pas d'une réingénierie des principes de management des hommes...

Trois pôles d'attention, trois changements de mentalité

Force est de constater qu'on assiste à un recadrage de la perspective : le management des compétences recentre l'attention du leader sur trois pôles à dimension humaine, qui s'opposent à ses réflexes les plus habituels, dont celui consistant à constamment réclamer davantage d'ouverture au changement de la part de ses employés, quelle que soit la forme du message qu'il leur adresse... Or, par essence, le leadership présuppose de s'engager, de s'investir d'abord soi-même : faute d'engagement du leader, ses troupes ne se mobiliseront pas !

Cette mise au point peut sembler paradoxale aux yeux du leader traditionnel, qui est convaincu d'être au-dessus de la mêlée. Ce recadrage signifie implicitement que le leader a l'obligation d'être le premier à faire preuve d'ouverture à l'égard du changement : ce n'est qu'ensuite qu'il pourra exiger cette ouverture de ses partenaires. En adoptant cette perspective, les dirigeants doivent également reconnaître cette réalité, parfois difficile à admettre pour certains, quoi qu'ils en disent, que les employés sont les véritables artisans de la transformation ! Les leaders ne sont que les gardiens du sens, les porteurs du message, tant qu'ils ne sont pas impliqués personnellement dans la transformation... Autrement, ils deviennent un obstacle au changement. Sans cet engagement ferme du leader, les employés se voient pour ainsi dire investis du pouvoir d'exercer un droit de vie ou de mort sur le changement. La conséquence est grave : si les leaders tardent à s'ajuster, le changement perd de sa pertinence. Or, le temps de réaction est aujourd'hui un facteur critique.

Les anecdotes présentées ci-dessus illustrent bien que le sens de l'initiative a un caractère déterminant en matière de management des compétences. S'il en va ainsi, c'est justement en raison de l'influence cruciale du comportement des personnes impliquées dans l'action et de leurs réactions. Et le leader ne fait pas exception à la règle. Chacun définit son point d'équilibre en fonction du mouvement de l'autre. L'interdépendance et le mouvement sont les règles.

Dans une époque marquée par des changements incessants, le leader doit se donner les moyens de lire les événements avec toute la lucidité qui s'impose. L'ère des changements entrecoupés de grandes accalmies est révolue, et l'exercice d'un leadership mobilisateur exige du courage. Des questions inhabituelles font resurgir un ensemble de mythes qui datent de l'époque de la gestion traditionnelle, des mythes qui n'ont plus leur place aujourd'hui. Vaut-il mieux défendre ces vestiges d'un management classique en crise ou avoir l'audace de remettre en cause une métaphore dépassée de l'organisation ? La question porte en elle sa réponse : le glas a sonné pour les leaders qui espéraient s'en tirer sans tenir compte des ressources humaines, l'heure de vérité est arrivée pour ceux qui s'accrochent encore aux vieux credo du management d'hier.

Quand la gestion des personnes devient l'avantage concurrentiel qui fait la différence, et selon certains le seul véritable avantage concurrentiel, revoir en profondeur l'art d'exercer un leadership mobilisateur s'impose comme une évidence. Les convictions les plus secrètes doivent être remises en question, les principes directeurs du management doivent s'adapter aux nouvelles exigences : la mise en valeur de l'or gris est à ce prix. Le management des compétences entraîne les leaders sur la voie de la gestion de la diversité, cette différence qui peut faire toute la différence.

« Les personnes peuvent faire la différence » : cette expression acquiert tout son sens et toute son importance pour le leader soucieux de mobiliser le potentiel de ses troupes. Quel que soit le degré d'incertitude auquel on doit faire face, réaffirmer en désespoir de cause des principes de management devenus caducs tient de l'absurdité. La seule option est d'accepter le pari d'un changement qui met les individus au cœur du management. En d'autres termes, pour traduire son engagement, le leader doit prendre l'initiative d'une réingénierie des principes qui guident son action. Il fait le premier geste, exprime une volonté ferme face au défi à relever. La tentation des habitudes est forte, mais l'enjeu ne laisse pas d'autre choix. Les signes ne manquent pas, qui traduisent l'obligation pour le leader de se mettre en mouvement. L'ancien profil de compétences des leaders est usé à la corde, il a été disloqué dans la tourmente.

Le virage est d'autant plus difficile à négocier qu'on a déjà décerné beaucoup trop de médailles aux stratèges adeptes de l'autorité, qui menaient les changements organisationnels en brisant les résistances, dans un contexte où l'abondance de main-d'œuvre masquait les conséquences du gaspillage. Pour ceux qui ont vécu par l'épée, conformément à l'idéologie « ça passe ou ça casse », la pilule est dure à avaler. Privés des luttes qu'ils menaient contre leurs troupes récalcitrantes, qu'ils estimaient insensibles à l'urgence au point d'avoir à les ramener brutalement dans le droit chemin, ils peinent à trouver leur nouvel équilibre ; certains éprouvent des difficultés à cerner la nature de leur véritable combat car ils ne se rendent pas encore compte qu'il doit être mené contre leurs propres convictions. Or, cette époque du bras de fer est bien derrière nous : les troupes récalcitrantes sortent du ghetto où on les avait confinées, elles ne sont plus de simples ressources humaines facilement remplaçables et elles ont une emprise croissante sur la situation.

Tout comme le client, qui affirme maintenant avec force son indépendance, les détenteurs de l'or gris se font moins fidèles. Ils mettent leurs compétences aux enchères et n'entendent plus désormais troquer leur engagement contre un peu d'argent sonnant et trébuchant… Ils revendiquent le droit d'avoir voix au chapitre. Nous sommes entrés dans une nouvelle ère du management : les leaders éclairés doivent livrer un combat décisif : la mobilisation des troupes en est le fer de lance, et la valorisation des cerveaux suppose le respect mutuel.

Le succès de l'entreprise passe maintenant par l'habileté à créer et à gérer des consensus d'autant plus fondamentaux qu'ils définissent la capacité de l'organisation à s'adapter aux règles du jeu de la nouvelle économie du savoir. L'environnement s'est complexifié, et le changement est devenu une constante. Les leaders doivent composer avec des équilibres relatifs, temporaires, constamment redéfinis sous le poids de nouvelles pressions qui amènent des ajustements tout aussi précaires. Prendre conscience de cette nouvelle réalité, c'est faire le constat que, dans ce nouveau contexte, celui qui vit par l'épée périra par l'épée.

Inutile d'espérer qu'un style de management fondé sur l'autorité hiérarchique puisse se perpétuer au détriment d'une recherche réelle de concertation destinée à mobiliser les troupes. L'organisation a un besoin vital d'employés qui ont le sens de l'initiative, le goût du défi et même un penchant pour le changement. La transition vers le nouveau modèle de management s'accompagnera de nombreux soubresauts car les leaders actuels n'ont pas été préparés à naviguer dans la tourmente. Le mythe du héros ne disparaîtra pas d'un coup de baguette magique.

Mais, avec le temps, on contestera de plus en plus ouvertement l'exercice d'un leadership héroïque. Les leaders qui s'y accrochent se couperont progressivement de la nouvelle réalité, auront de moins en moins de prise sur les conséquences de la transformation. Ces leaders solitaires paieront le prix de leur difficulté d'adaptation : ils seront écartés au profit de dirigeants dont le profil de qualifications est marqué au sceau des compétences interpersonnelles. Plus les employés seront scolarisés, éduqués, plus la pression sera forte, et ces leaders trébucheront. L'évidence sautera finalement aux yeux, et ils se retrouveront rapidement sur le pas de la porte. Ils subiront le retour du balancier et seront désignés comme les obstacles au changement. En un mot, ils seront à leur tour soumis à la loi du « ça passe ou ça casse ».

Les nostalgiques de l'ordre ancien peuvent toutefois se consoler : l'exigence d'adaptation à laquelle ils sont soumis pèsera aussi sur les employés endormis dans l'anonymat de fonctions figées, et la situation de ces derniers ne sera guère plus enviable. La transformation à laquelle nous assistons actuellement va également toucher, petit à petit, la conception traditionnelle du contexte de travail. Les deux vont de pair. Plus les employés seront qualifiés, plus ils auront de responsabilités, plus ils affirmeront leur autonomie, plus ils auront de comptes à rendre. Ils seront appelés à prendre des décisions ayant des conséquences plus évidentes sur le succès ou sur l'échec de l'entreprise : leur *imputabilité* ira croissant. L'aplatissement des structures, l'impartition et les nouvelles technologies de l'information ne feront qu'accentuer la prise du pouvoir par le client. En conséquence, chaque employé jouera un rôle plus important, mais dans le même temps devra davantage rendre compte de ses résultats.

L'imputabilité va de pair avec le pouvoir

Dire que le succès de l'entreprise passe par tous ses employés équivaut à constater combien la valeur des pièces a changé sur l'échiquier. Si l'affirmation est devenue un lieu commun, cela n'a pas été sans mal : l'intermède s'est étiré... il a fallu du temps avant que les conséquences acquièrent le statut d'évidences. Le changement inévitable de management qui s'impose aux leaders actuels et à venir ne coulait pas de source pour les héros d'hier. Le phénomène n'est pas nouveau, comme nous le rappellent tous les tâtonnements qui ont marqué la période de transition vers l'approche qualité.

Les dirigeants ont longtemps atermoyé et zigzagué lorsque leur tour fut venu de s'ajuster. Ils avaient bien le réflexe du travail bien fait, mais cela ne suffisait plus parce que la course au mieux avait changé la donne. Ce rappel à l'ordre ne valait pas seulement pour les employés ! Même si l'affirmation d'une exigence de qualité totale annonçait la mutation il y a déjà plus de vingt ans, la révision des principes du management s'est longtemps fait attendre.

L'entreprise doit désormais faire face au risque constant d'être attaquée par un concurrent surgi de nulle part. Seuls quelques dinosaures en doutent encore. Les dirigeants ont appris à vivre avec cette idée qu'un rival complote dans l'ombre, décidé à les prendre de vitesse en misant sur ce petit plus qui fera toute la différence. L'entreprise vit au rythme d'une concurrence sans merci, qui fait désormais partie de son quotidien. Mais, dans cette nouvelle économie où les cerveaux jouent un rôle déterminant, les meilleures solutions sont le résultat de l'imagination, de la créativité et de l'initiative de plusieurs personnes, et non plus d'une seule. De telles qualités, aucune machine ne les possède. Combien de leaders sauront en tirer avantage ? La question se pose. La réingénierie des processus visait à ne pas ajouter du meilleur à de l'obsolète, un dur labeur auquel n'a rien à envier l'inévitable réingénierie du management, l'impérative transformation de la mentalité des leaders. Encore une fois, il va sans dire que la résistance au changement n'est pas uniquement le fait des employés.

La crainte de commettre une erreur stratégique plane sur l'unité de commandement. Il ne suffit plus de prendre des décisions, il faut prendre les bonnes décisions, d'autant plus que le temps n'arrange plus les choses. Mais une partie importante des informations stratégiques, qui sont entre les mains des employés de première ligne, échappe aux dirigeants. Que les employés soient les premiers informés des attentes et des réactions des clients, grâce aux contacts privilégiés qu'ils ont avec eux, voilà une situation qui pique au vif les farouches défenseurs de la tradition. Tous n'acceptent pas de gaieté de cœur que les employés soient dans une position aussi privilégiée, soient des partenaires inévitables de la marche en avant de l'entreprise. Les leaders ne peuvent plus vivre en vase clos. À la vitesse où vont les choses, ils ont besoin des informations détenues par les employés de première ligne. Mais il y a plus, ou pire...

Confinés dans des tâches d'exécution, nombre d'employés en sont eux-mêmes restés au stade du réflexe du travail bien fait. Habitués à être réduits au silence par une direction qui les maintenait à distance respectable des décisions, ils ont du mal à imaginer que leur avis ait une si grande importance. Au mieux, ils voient dans les avances des leaders des efforts maladroits destinés à améliorer le climat de travail ; au pire, ils les prennent pour des machinations visant à les mystifier. Ils ont appris à se méfier des credo proposés par un nouveau management. Quand les craintes respectives s'estomperont, le constat de l'interdépendance sera plus facile à faire. Mais il faudra du temps aux leaders pour devenir des interlocuteurs crédibles aux yeux des employés, condition préalable au partenariat qui devra s'instaurer entre eux. Heureusement, l'idée que les leaders et les employés devront relever ensemble le défi de la performance fait son chemin petit à petit. Les premiers signes de cette évolution sont encore ténus, mais ils sont bien réels.

Le management ne pourra survivre dans ce nouveau contexte que s'il se réveille. Les leaders ont encore beaucoup à apprendre sur la gestion des personnes. La négociation de la performance n'est pas dans leur culture, et leurs habiletés de communication sont encore limitées, voire fragiles. Si certains ont le verbe facile, beaucoup souffrent d'une ouïe déficiente… Plus encore, leurs habitudes et leurs réflexes d'antan sont devenus les ennemis du mieux, les détournent de toute forme de rapprochement avec leurs partenaires. Le défi est considérable. S'ils restent repliés sur eux-mêmes et s'ils ne se mettent pas résolument à la tâche, les leaders ne peuvent guère espérer mieux qu'un sursis, avant d'être désignés comme les obstacles au changement. L'affirmation paraîtra dure à certains, mais elle est fondée. La voie de l'audace n'a rien de rassurant quand on se sait fort démuni face au défi, même lorsqu'on est conscient qu'il faudra le relever.

Le confort de l'autorité et l'ivresse du pouvoir ont éloigné les leaders du dialogue. Les leaders sont passés maîtres dans l'art de contraindre habilement, ont négligé l'art de convaincre et de mobiliser. Le pouvoir a ceci de cruel qu'il détruit peu à peu l'initiative et la créativité de ceux qui en subissent le joug. Il a même des effets pervers sur celui qui l'exerce avec autoritarisme. Il conduit progressivement son détenteur à ne plus prendre en considération que ses propres initiatives et à tenir pour un délit d'opinion celles des autres. Les nerfs des leaders qui sont rongés par ce mal seront soumis à rude épreuve. Enfermés dans leur cadre de référence dépassé, ils s'accommodent mal de la nouvelle réalité des organisations : la pression exercée par le changement s'est inversée, et c'est désormais sur eux qu'elle pèse.

Les symptômes du mal sont faciles à déceler. Ces leaders sont déstabilisés par les initiatives. Ils les vivent comme une contestation directe. Ils n'ont pas appris à se laisser porter par la vague, ils n'ont pas appris à profiter de l'or gris. Au contraire, ils perçoivent comme une atteinte à leur statut ou à leur autorité chaque initiative qui perturbe ou remet en question leurs habitudes. Ils sont blessés dans leur orgueil, atteints dans leur chair. Du haut de leurs barricades, ils défendent l'ordre ancien avec hargne. Pas question de renoncer à un trône conquis de si haute lutte. Il ne leur vient même pas à l'esprit que cette révolution apparente présente également des avantages.

Leur réaction est si vive et démesurée qu'il devient suicidaire, aux yeux de leurs partenaires, de faire preuve de créativité et d'initiative. Tous les leaders ne sont heureusement pas aussi réactionnaires : beaucoup ont le goût du défi, et ne trouvent pas si menaçant de prendre le virage du management des compétences. Conscients d'eux-mêmes et de la relativité des principes de gestion qu'on leur a inculqués, ils ne redoutent pas les remises en question. Curieusement, ce ne sont pas automatiquement les plus jeunes qui sont le mieux préparés.

Malgré les apparences, très souvent les managers reçoivent aujourd'hui encore une formation qui les encourage à perpétuer une approche du management aseptisée et amputée des aspects humains. La très grande majorité des programmes de formation s'articulent autour des grandes fonctions et de la sacro-sainte thématique de la stratégie de l'entreprise. Cette orientation a malheureusement toutes les chances de couper artificiellement « l'homme et sa créature »… Conformément à ses principes, l'organisation est dotée d'une existence propre et les aspects humains sont rapidement relégués au rang des données secondaires : le manager peut alors se mettre au service de la chimère.

Dans ce contexte, les néophytes de la gestion qui rêvent des plus hautes fonctions, où se prennent les décisions stratégiques, en viennent à considérer les réflexions sur les aspects humains comme des questions de second plan. Bien que ces aspects soient complémentaires de leur formation technique, la tendance est renforcée par l'accent souvent mis sur ces matières plus « sérieuses » ou plus « nobles » que sont, par exemple, la comptabilité, la finance, la gestion des opérations ou la stratégie d'entreprise. Si nécessaires que soient ces dimensions, elles laissent l'impression que l'humain n'est qu'une partie négligeable de l'équation. Les étudiants sont, en ce sens, bien peu préparés aux défis actuels. À cet égard, ceux qui se sont formés sur le tas, malgré leurs carences, ont à tout le moins bénéficié de l'avantage d'être immergés dans la réalité et d'être sensibilisés à la complexité des aspects humains. Mais, en dépit des parcours différents des uns et des autres, la situation ne change pas fondamentalement : on craint les émotions, on craint l'humain.

Il est normal que le domaine des émotions soit perçu comme une zone de risques qu'il faut éviter à tout prix. Ni les jeunes ni les dirigeants actuels n'ont été convenablement préparés à affronter la situation.

Invités à faire preuve de rationalité et à garder leurs distances, même les leaders avertis hésitent à s'aventurer sur ce territoire. Et s'ils y sont contraints par les événements, la plupart s'y soustraient à la première occasion! Lorsqu'on croit à la chimère, le réflexe est de se comporter comme si les décisions qu'on doit prendre dans l'organisation n'avaient aucun lien avec les facteurs émotifs, les préférences personnelles ou encore les jeux de politique interne. Et derrière le masque d'une naïveté béate, chacun prend vite conscience de ce qui se trame, même s'il n'en dit rien. La réalité rattrape tôt ou tard les fuyards, même quand ils se froissent lorsqu'il leur arrive d'être victimes de leurs émotions.

Paradoxalement, les fuyards conscients de leur malaise sont à la fois le groupe le mieux préparé et le plus exposé. Ils ont l'avantage de ne pas être insensibles. Certes, ils peuvent devenir le premier obstacle au changement. Pour eux comme pour leurs employés, le respect des traditions apparaît parfois comme l'ennemi du mieux, car il légitime de recourir à la rationalité pour éviter d'entrer dans la zone de risques. S'ils considèrent que leurs émotions constituent un signal d'alarme, la voie n'est pas sans issue. Mais s'ils nient l'existence de leurs émotions ou les considèrent comme quantité négligeable, ils risquent de tenir à leur pouvoir comme à la prunelle de leurs yeux: ils ont alors peur de déléguer les responsabilités et ne comprennent pas que le partage du pouvoir, loin de réduire leur autorité, permet de recadrer celui-ci.

La difficulté à déléguer est un symptôme révélateur. Elle résulte d'une définition erronée du pouvoir, elle-même issue d'une confusion entre le leadership et l'autorité hiérarchique. Si l'autorité formelle repose sur la fonction dont on est investi dans l'organisation, le leadership constitue un pouvoir relationnel, fondé sur la crédibilité bien plus que sur le statut.

Un regard sur le pouvoir

Aux yeux de bien des managers, le pouvoir est une denrée rare, qui n'existe qu'en quantité limitée dans l'organisation. Accorder du pouvoir à quelqu'un revient donc automatiquement à s'amputer d'une partie de son propre pouvoir. Ainsi, si on détient 70 % du pouvoir, il n'en reste que 30 % pour les autres. Vision réductrice et simpliste s'il en est. Le pouvoir d'influence du leader n'est en rien une donnée figée, une quantité finie. Le partage du pouvoir n'est pas un jeu à somme nulle, bien au contraire. Pour s'en convaincre, il faut approfondir le phénomène de la responsabilisation et découvrir les perspectives qu'il ouvre.

La responsabilisation hante les rêves de bien des dirigeants, qui l'imaginent souvent comme conséquence d'une qualité personnelle de l'employé : son professionnalisme. Ils ne se rendent pas compte qu'il existe un lien étroit entre la responsabilisation et le partage du pouvoir. Or, dans l'action, responsabilisation et pouvoir sont indissociables. En quelques mots, la responsabilisation consiste à investir la personne qui détient les informations pertinentes et nécessaires de l'obligation d'agir de façon appropriée. L'avantage en est indéniable : la personne devient responsable des résultats, elle doit s'impliquer, agir conformément à ce que la situation exige. Quand on doit ainsi rendre compte de ses décisions et de ses choix, quoi de plus naturel que d'en répondre vis-à-vis de quelqu'un. De ce point de vue, le leader qui donne un pouvoir de décision à un employé dans un contexte de responsabilisation ne le fait pas au prix de son propre pouvoir. Au contraire, le leader se trouve automatiquement investi d'un pouvoir différent, qui se situe à un tout autre niveau : celui de la supervision.

Il n'y a pas de dilution du pouvoir lorsque la décision se rapproche du terrain. Pour le comprendre, le leader doit changer de cadre de référence, avoir une perception différente de son rôle et de la façon de l'exercer. La délégation du pouvoir présente des avantages, mais la crainte de perdre la maîtrise de la situation inhibe souvent les leaders qui doivent s'y risquer. Le pouvoir est perçu comme un bien précieux. Mais sans pouvoir il n'y a aucune responsabilité possible. Le contexte de travail en est transformé lorsqu'on le comprend. Quand on partage le pouvoir, au lieu de le voir disparaître comme une peau de chagrin, contre toute attente il croît !

En corollaire, un leader qui refuse de partager le pouvoir fait peser sur ses propres épaules toute la responsabilité des résultats et s'interdit toute délégation véritable. Il en va ainsi s'il dicte à ses employés les gestes les plus simples. En confinant ses employés dans le rôle de simples exécutants des volontés supérieures, il exclut a priori toute initiative de leur part. Or, l'économie du savoir exige précisément de faire l'inverse et d'aborder l'organisation sous un tout nouveau jour. Un survol rapide des hypothèses qui sont remises en question par les travaux consacrés à la réingénierie des processus en apporte la preuve.

Le modèle industriel repose sur la parcellisation des tâches. L'hypothèse qui sous-tend ce modèle est que les gens sont plus efficaces s'ils se voient confier une tâche et une seule, facile à exécuter et à comprendre. En poussant cette logique à l'extrême, l'employé n'a pas besoin d'avoir un cerveau : il est un simple rouage d'une vaste machine. Tout en conduisant à morceler le travail en petites unités et à limiter la zone d'influence de l'employé, ce modèle réduit du même coup considérablement son «imputabilité». Dès lors, le partage du pouvoir est pratiquement inutile. Tout le reste en découle. La division du travail engendre un cloisonnement des postes de travail, un besoin accru de coordination et, surtout, la nécessité de créer des processus complexes assurant la cohérence des actions de chacun. Quand personne ne réfléchit à la base de l'organisation, il faut bien compenser ce manque. D'où des processus lourds.

Le virage ambulatoire pris par les hôpitaux dans les années 1990 illustre bien les effets de cette hypothèse. Les acteurs du système de santé travaillant en vase clos, des efforts considérables devaient être faits pour assurer la cohérence des processus. Et les patients en subissaient souvent les conséquences…

Lorsque le virage ambulatoire a été amorcé, avec l'objectif d'assurer la continuité des soins, on s'est rendu compte que la mise en place de processus simples mais intégrés posait un défi inattendu. Des processus simples sont nécessaires lorsque les tâches sont complexes. Il faut donc regrouper des tâches et parfois même des postes… Quand on mesure à quel point les frontières entre les professions peuvent être sensibles, notamment pour les corporations professionnelles et les syndicats, on comprend aisément pourquoi certains sont sortis de leurs gonds. Toucher aux tâches et aux postes équivaut en effet à redéfinir les responsabilités et à procéder à un nouveau découpage du pouvoir ; un tel changement heurtait profondément les mentalités, quand cela ne remettait pas tout bonnement en cause l'influence de certains fiefs bien établis. Le phénomène n'est pas un cas d'espèce, bien au contraire.

De la même façon, l'effort de réingénierie des processus entrepris par le mouvement des caisses populaires et d'économie Desjardins a créé beaucoup de vagues. Quand des méthodes de travail qui tiennent de la chaîne d'assemblage disparaissent au profit d'un processus intégré ne dépendant que d'une seule personne, les effets sont prodigieux même dans l'industrie des services financiers. Pour en saisir l'ampleur, il suffit de s'arrêter aux réactions de certains des employés de première ligne des caisses populaires, qui contestèrent le changement en ces termes : « Nous sommes là pour rendre service aux membres, et non pour leur vendre des produits financiers ! » Un point de vue discutable, qui traduit bien combien le changement fut difficile à avaler. Il y a lieu de le souligner encore une fois : la transformation des mentalités exigée par le management des compétences remet profondément en question des convictions bien ancrées. Le changement signifie qu'il faut reconstruire sa vision de l'organisation, qu'on soit employé ou patron. La quête du sens est inévitable.

Malgré des fortunes diverses, le réseau de la santé et les caisses Desjardins sont parvenus à définir un nouveau partage des responsabilités, à regrouper autrement les tâches et à mettre en place des processus plus appropriés. Le pouvoir d'agir a été redéployé. De nombreux passages de relais entre employés ont été éliminés, et la performance et l'imputabilité ont ainsi pu être redéfinies. Il reste sans doute beaucoup à faire, mais la prise en charge du client d'un bout à l'autre du processus s'est améliorée. Le fait que des équipes pluridisciplinaires remplacent progressivement des personnes autrefois confinées à une tâche isolée en témoigne. Autrement dit, les dirigeants ont misé sur des processus simples et des tâches complexes. Ce choix rend possibles des regroupements de responsabilités et la prise en charge du processus par une ou plusieurs personnes compétentes dans le but de réduire le nombre d'intermédiaires. Cette approche modifie les façons de faire de chacun.

Les dirigeants ne peuvent faire le pari des processus simples que s'ils acceptent d'abord eux-mêmes de revoir leurs convictions et leurs credo. Au départ, pour accroître l'efficacité, il était nécessaire de repenser le processus de prise de décision, d'éliminer l'approche en silo, de redistribuer le pouvoir.

Dans l'organisation traditionnelle, la décision est concentrée entre les mains des responsables hiérarchiques. En conséquence, le pouvoir l'est tout autant. L'initiative, donc l'obligation d'agir de manière responsable et autonome, est réduite au minimum. Il en va ainsi en raison d'un ensemble d'a priori qui s'autoalimentent. La croyance de base est que des gens qui effectuent un travail simple n'ont ni le temps ni le désir de vérifier s'il est bien exécuté, encore moins l'envie de prendre eux-mêmes des décisions. Une fois admise, cette croyance a un corollaire tout aussi réducteur : quand un employé n'accomplit qu'une infime partie d'un travail, il semble hasardeux de lui confier la responsabilité d'une décision qui pourrait affecter l'œuvre d'ensemble.

Si on adhère à ces deux principes aveuglément, la réingénierie apparaît bien périlleuse. Mais cette approche traditionnelle tient mal la route quand la simplification des processus et l'élimination des relais débouchent sur une tâche complexe et bien intégrée. À cet égard, la réingénierie touche de plein fouet les mentalités des leaders, car elle remet en question leur vision classique de l'efficacité et l'idée que le pouvoir de décision doit être l'apanage d'un petit groupe restreint, sous prétexte que l'employé est heureux de son sort.

La remise en cause de l'hypothèse selon laquelle il est sain de concentrer le pouvoir de décision entre les mains des responsables hiérarchiques découle directement de l'abandon de celle portant sur l'efficacité. En quelques mots, si on établit un processus simple, si on accroît la complexité de la tâche à accomplir et si les responsabilités sont dévolues à une personne, sans relais inutiles, cette personne est alors dans une position idéale pour prendre une décision puisqu'elle a une vue d'ensemble de la situation. Dans ce cas, il est possible de la superviser et d'évaluer ses résultats car elle en est responsable. Mais, pour s'engager dans cette direction, il faut nécessairement repenser la signification traditionnelle de la structure hiérarchique.

Expliquée en ces termes, la remise en question du partage du pouvoir de décision et de l'attribution de ce pouvoir risque de demeurer abstraite, sauf si on l'exprime dans le langage des activités quotidiennes. La démonstration est plus éloquente. Le secteur des services financiers se prête bien à l'exercice.

Quand on se penche sur les activités quotidiennes d'une caisse populaire, les questions surgissent tout naturellement. Qui reçoit le sociétaire au comptoir? Qui effectue l'ouverture de son compte? Qui lui propose une carte Visa? Qui lui parle des produits et des services offerts par la caisse? Qui discute avec lui de ses besoins et de ses attentes? Qui prépare, pour le nouveau membre, une offre intégrée et personnalisée? Qui est en mesure d'effectuer le suivi de la relation d'affaires établie dès la première rencontre? Les questions sont légion, et cette liste est incomplète.

Si toutes ces activités sont morcelées en tâches simples et attribuées à une foule d'employés, il est nécessaire de concevoir un processus complexe pour que les objectifs soient atteints. Mais si l'ensemble de ces activités sont prises en charge par une seule personne, un conseiller par exemple, c'est elle qui devra prendre des décisions tout au long du processus, c'est elle qui sera dans l'obligation de superviser et de contrôler son travail elle-même, au fur et à mesure, sans pouvoir demander conseil à son supérieur hiérarchique à chaque étape. Dans ce cas, l'employé n'est plus un simple rouage. Son sens de l'initiative et ses compétences deviennent décisifs.

Une troisième hypothèse du management traditionnel s'écroule donc dès qu'on s'engage dans la simplification des processus. La redéfinition de l'efficacité et la délégation du pouvoir de décision aux employés débouchent sur un nouvel ordonnancement du travail. Soudain, certaines pratiques paraissent absurdes. Par exemple, des opérations telles que l'ouverture d'un compte bancaire, une demande de carte de crédit, l'achat d'un RÉER ou de chèques de voyage, sont habituellement distinctes et dissociées. Or, si une seule personne prend en charge le client, du début à la fin de la relation, elles peuvent avantageusement être regroupées. Rien ne légitime plus le morcellement de ces tâches.

Il est intéressant de constater à quel point la mise en place d'un processus simple paraît aller de soi et refléter le bon sens, dès lors que le pouvoir est ainsi partagé et que le client redevient la priorité. Dès que le client est placé au centre de la perspective, chacun se rend compte qu'il est possible d'abandonner les vieilles pratiques et de faire autrement. Le conseiller recueille au fur et à mesure toutes les informations pertinentes, les consigne dans le dossier du client et peut offrir à ce dernier un service complet, tout en ayant la possibilité de promouvoir les produits et services susceptibles de l'intéresser. Après que le changement a été mis en œuvre, il est même troublant de se rendre compte que le client devait auparavant s'adresser à autant de personnes différentes pour ouvrir son compte, demander des chèques de voyage, une carte de crédit, ou souscrire à des RÉER! Pire encore, toutes les informations concernant chaque client étaient dispersées et il fallait du temps pour les rassembler afin de lui offrir un service personnalisé de qualité. Le client devait donc subir de longues périodes d'attente. Le temps de l'organisation passait avant le temps du client. Avec un processus simple, au moment de l'ouverture du compte, le conseiller demande qu'on prépare les chèques de voyage pendant qu'il règle la question de la carte de crédit et du RÉER avec le client. Celui-ci reçoit alors ses chèques de voyage au bureau du conseiller, pendant que ce dernier règle des questions plus importantes... Temps mort: zéro. Le temps du client reprend le dessus, à sa grande satisfaction.

Retenons de cet exemple que l'ordre dans lequel on accomplit les tâches «consomme» le temps du client. Si les tâches sont traitées à la pièce, dans un ordre qui convient à l'organisation, les conséquences peuvent être négatives pour l'organisation comme pour le client. En effet, les événements se déroulent habituellement selon un ordre déterminé par l'organisation, qui n'a souvent rien de naturel aux yeux du client. On lui impose l'ordre de l'organisation. Pourtant l'organisation a tout à gagner à agir autrement. Adopter une approche plus conforme aux attentes du client conforte ce dernier dans l'idée qu'il est bien servi!

Lorsque les tâches se déroulent dans un ordre qui semble naturel au client, si les technologies de soutien sont utilisées, le dossier du client se construit au fur et à mesure de ses demandes et il ne reste plus qu'à le tenir à jour. En confiant la responsabilité de l'ensemble du processus à une seule personne, on met fin à la dispersion des informations et on améliore la gestion de la relation d'affaires. Finis les déplacements inutiles et les attentes interminables ! Quand, deux mois plus tard, le client souhaite acheter une automobile, si on a bien cerné sa situation financière lors de sa première visite, on sait déjà s'il dispose de la marge de crédit nécessaire. De tels ajustements ont des effets si notables qu'on se dit après coup qu'il suffisait d'y penser. Mais le changement ne touche pas seulement les processus...

La réingénierie des processus et la réingénierie du management vont de pair

La réingénierie des processus masque la nécessité d'une réingénierie du management. Cette dernière ne devient réalité qu'au prix d'un changement de paradigme de la part des leaders. Quand on pousse l'audace jusqu'à placer le client au centre de tous les processus, c'est la logique traditionnelle qui est ébranlée. Même la standardisation s'estompe. Un autre mythe est mis à mal : le mythe de l'uniformité de la prestation, voire celui de la tâche simple dépourvue de toute matière grise.

La démonstration est si éloquente qu'elle en ébranle les colonnes de l'ancien temple. Combien de dirigeants sont prêts à troquer un pouvoir exclusif dont ils sont les premières victimes contre les avantages évidents du changement de perspective ? En principe tous devraient l'être, mais les faits démentent cette évidence. Affirmer que les vieux mythes ont la vie dure ne revient pas à douter de la bonne volonté des dirigeants actuels et de la réalité de leurs efforts. La volée de bois vert touche plutôt leurs réflexes inconscients, et en particulier celui qui les porte à agir comme s'ils avaient enfin atteint l'équilibre et, pire encore, l'équilibre définitif. Or, à l'image des cyclistes, c'est plutôt lorsqu'ils sont en mouvement qu'ils contrôlent le mieux leur équilibre ! Créer des processus simples, donner du pouvoir aux personnes afin de les responsabiliser... ce ne sont là que des premiers pas. La petite histoire de la réingénierie fourmille de preuves allant dans ce sens.

Dans un marché de masse impersonnel, afin de faciliter le contrôle des opérations, les organisations ont été dessinées de manière à offrir une production de masse, un produit ou un service neutres destinés à un consommateur anonyme. Cette conception de ce que doit être un produit ou un service est le pendant de la standardisation du travail. Mais le consommateur veut désormais des produits et des services sur mesure, personnalisés, ce qui rend dysfonctionnelle cette approche de la distribution. Les organisations qui ont amorcé une réingénierie de leurs processus d'affaires sans tenir compte de ces attentes en subissent rapidement les contrecoups. Lorsqu'on place le client au centre de ses préoccupations, il faut nécessairement ajuster ses façons de faire.

Séduits par les nouvelles technologies, bien des organismes gouvernementaux les ont utilisées pour traiter leurs appels. Ils ont tenté de standardiser le premier contact et y ont si bien réussi que les correspondants se heurtent désormais à des boîtes vocales qui les font piaffer d'impatience! L'ampleur de ces effets ne se dément pas. Des institutions financières ont également tenté l'expérience et elles le regrettent déjà… En quoi cette approche est-elle viciée?

Le recours aux technologies est loin d'être une solution absurde. Mais elle est opaque quand le client n'est pas au centre des priorités. Si cette solution peut convenir à quelqu'un qui souhaite simplement vérifier l'évolution des taux d'intérêt, elle ne peut que faire naître de l'impatience et de l'énervement chez celui qui désire parler directement à un conseiller. Il est donc nécessaire d'envisager des processus à versions multiples et de résister à la tentation d'une standardisation aveugle qui reposerait à la fois sur des processus simples et des tâches simples!

C'est précisément parce que les processus standardisés entraînent des lourdeurs que l'intérêt de la création de processus à versions multiples va de soi. De plus, n'est-ce pas là l'un des buts de toute réingénierie? Pour être fonctionnel, un processus doit inclure toute une série d'options permettant de prendre en compte les exceptions. Les institutions financières, par exemple, se trouvent régulièrement face à cette nécessité. Quand un client souhaite transférer ses activités d'une succursale à l'autre, il a la très nette impression de repartir à zéro s'il se trouve aux prises avec un processus qui n'a pas été conçu pour répondre à son besoin. Les institutions financières doivent par conséquent imaginer un processus d'accueil suffisamment souple pour régler cette question sans indisposer le client. Sinon, ce dernier peut tout aussi bien décider de changer d'établissement financier. Il est nécessaire de disposer de plusieurs versions du processus si on veut répondre au cas par cas aux attentes du client, si on veut lui donner les réponses qu'il attend au stade précis où en sont rendues ses relations avec l'établissement, et ce, à quelque moment que ce soit. Derrière cette question des processus se dissimule un enjeu qui renvoie directement aux frontières physiques des organisations et au fonctionnement en silo.

Dans l'entreprise traditionnelle, les comptables comptent, les réceptionnistes répondent aux appels et les négociateurs s'occupent des conventions. Toutes les tâches relèvent de spécialistes enfermés dans leurs fonctions. L'organisation ne fonctionne que grâce à une forte coordination à un niveau supérieur. Il est nécessaire d'avoir une gestion de l'information pour que la direction puisse agir à la lumière d'une vision globale. À l'opposé, avec le management des compétences, les leaders sont considérés comme des éléments à part entière de l'organisation. Puisque la vision qu'ils ont de leur rôle résulte du morcellement des tâches, les leaders doivent changer pour ne pas rester les victimes de l'ordre établi : il leur appartient de construire une nouvelle vision de l'organisation. Pour exercer le leadership du changement dans un tel contexte, ils doivent détruire la structure cloisonnée dont les conséquences sont si pernicieuses.

Quand une organisation fonctionne en silo, cela induit de la part de tous des réactions dont la logique interne implacable n'a d'égale que l'absurdité du résultat final. Malheureusement, le cloisonnement va de pair avec la concentration du pouvoir de décision, et les véritables enjeux passent alors inaperçus. L'anecdote qui suit montre combien ces cloisonnements, ces silos sont néfastes.

Un négociateur mandaté par le patronat avait proposé une révision des échelles salariales des divers groupes d'employés d'une entreprise de production. En réaction, le syndicat demanda que les échelons prévus par ces nouvelles échelles soient ventilés différemment, en fonction de l'ancienneté cumulée par chaque employé. Le service de la comptabilité évalua les coûts engendrés par cette contre-proposition et estima qu'elle correspondait à une masse salariale de 5 % supérieure à la proposition patronale. Le service recommanda par conséquent de refuser la contre-proposition, position qui eut l'aval de la direction de l'entreprise.

Estomaqué, le négociateur décida de porter à la connaissance du conseil d'administration de l'entreprise toute une série de documents, afin de prouver noir sur blanc que les coûts de la contre-proposition syndicale étaient inférieurs à l'offre patronale initiale, si on tenait compte des données liées à l'ancienneté des employés de l'entreprise. Son argument principal était le suivant : ces données permettaient de répartir les employés par groupes d'âge et de mesurer plus finement les effets de l'ancienneté, mais on ne les avait pas utilisées alors qu'elles étaient entre les mains du service des ressources humaines ; l'évaluation du service de la comptabilité était donc erronée. Et pendant qu'on débattait de la question, le syndicat retira sa contre-proposition... De tels événements devraient à tout le moins mettre la puce à l'oreille des leaders qui s'accrochent encore à l'organisation et au management d'hier. Les silos sont une plaie que la concentration du pouvoir empêche de guérir. La responsabilisation se révèle être un excellent remède.

Pour donner une dernière illustration des effets bénéfiques de la responsabilisation, penchons-nous sur le cas, qui confine à l'absurde, de certaines organisations bureaucratique atteintes de sclérose du contrôle. Une preuve de plus, s'il en fallait une, qu'il est illusoire et dangereux de confier la vérification et le contrôle à quelques-uns, sous prétexte de respecter la hiérarchie et de rassurer l'organisation.

Dans une organisation centralisée, on vérifiait systématiquement tous les comptes de téléphone afin d'éviter que les appels personnels ne gonflent artificiellement les coûts. Après avoir photocopié les relevés, on les expédiait aux utilisateurs qui devaient cocher leurs appels personnels, les régler, puis ventiler les appels restants entre leurs différents projets. Une telle pratique est fort commune, elle est encore le lot de bien des secrétaires...

Mais les coûts générés par cette opération fastidieuse dépassaient largement ce que rapportaient les contrôles. Les fins renards, s'il y en avait, n'étaient pas débusqués. La situation s'éternisait depuis des années et prenait beaucoup de temps à la secrétaire de direction qui en avait la responsabilité. Cette dernière décida de prendre le taureau par les cornes et de régler elle-même le problème! Elle proposa à tous les employés d'utiliser une carte d'appel dont le budget serait défini en fonction de leurs projets et qui inclurait des frais mensuels réguliers. Sa proposition fut adoptée et les résultats ne se firent pas attendre. Les appels personnels disparurent rapidement: chacun devait désormais s'autogérer et tenir compte des limites bien réelles qui lui étaient imposées par ses projets...

Les quelques anecdotes qui précèdent sont en elles-mêmes révélatrices: au-delà des pratiques douteuses qu'elles mettent en lumière, elles montrent à quel point les actes vont parfois à l'encontre des intentions quand ils sont dictés par des mythes ou par des credo d'une autre époque. Quand l'environnement se transforme, les recettes du succès d'hier deviennent obsolètes et les pratiques douteuses deviennent absurdes. Indirectement, ces anecdotes permettent aussi de saisir à quel point les convictions personnelles affectent l'adaptation au changement, tout comme les réflexes enfouis ankylosent le cerveau: la force des habitudes tue l'imagination créatrice. Le constat de ce phénomène invite à la réflexion car, malgré les apparences ou les impressions, les comportements quotidiens sont dans une large proportion constitués d'actes qui traduisaient à l'origine un phénomène d'adaptation, mais qui sont devenus au fil du temps des réflexes, des réactions automatiques qui échappent aux remises en question.

Par nature, un réflexe n'est pas un acte réfléchi, chacun en convient. Saisir la rampe d'un escalier pour éviter de tomber est le fruit d'un apprentissage dont les avantages sont indéniables. Cet aspect positif du réflexe est incontestable. Là où le bât blesse, c'est quand le réflexe étend son emprise à la pensée, c'est-à-dire quand l'habitude endort l'esprit, supprime la réflexion, étouffe toute curiosité. Dans cette optique, on peut affirmer que les difficultés éprouvées face au changement résultent en partie de succès antérieurs, d'habitudes qu'on a élevées au rang de réflexes et qui sont devenues autant de barreaux derrière lesquels l'esprit est désormais enfermé. Il est important d'oser remettre en question les certitudes.

À l'heure actuelle, on peut légitimement craindre que l'organisation se vide de sa mémoire. Avec tous les départs escomptés, comment ne pas le redouter? Mais l'organisation perdra-t-elle seulement des connaissances utiles? Il est permis d'en douter. Quand les temps changent, les réflexes deviennent nuisibles: plutôt que de s'adapter aux événements, on les plie pour les faire entrer dans le cadre rigide des habitudes et des anciens credo. Cette tendance pourrait-elle s'atténuer à la faveur d'une légère perte de mémoire? En termes crus, il y a des choses qu'il vaudrait mieux oublier pour se libérer de l'emprise du statu quo.

Dans la perspective du management des compétences, on ne doit jamais perdre de vue à quel point les «réflexes de pensée» ponctuent la route du changement. Il est important de comprendre que lorsqu'on change pour s'adapter on crée finalement de nouveaux réflexes! Pour exercer un leadership, le leader n'a pas besoin d'être un thérapeute: il doit faire sien l'art de construire une vision commune avec ses partenaires, une vision qui valorise la compétence et le déploiement du potentiel de chacun. À lui de tirer avantage des turbulences! Son rôle est de promouvoir la recherche de nouvelles adaptations, de favoriser l'exploitation des potentiels qui sommeillent sous les habitudes.

6
Valoriser la compétence
et libérer le potentiel

Depuis quelques années déjà, la préparation de la relève est en vogue. Cette tendance est appelée à durer car les effets du vieillissement démographique s'accentueront jusqu'en 2013. Les dirigeants se rendent soudain compte que le vieillissement de la population active a des conséquences préoccupantes : la pénurie de main-d'œuvre touche les organisations à presque tous les niveaux et la relève fait cruellement défaut. Ce phénomène a incité certains à se lancer dans le maraudage. Ils ont ainsi avivé la concurrence, mais la flambée de l'or gris les a vite ramenés à plus de raison. Dans un second temps, ils ont diversifié leurs stratégies pour élargir leur champ d'action, qui va désormais de la connaissance de la relève interne jusqu'au rappel des retraités. Ils ont invité ces derniers à reprendre du service sur une base contractuelle... Mais ces stratégies ne suffiront pas.

La pyramide des âges nord-américaine suit des tendances lourdes, dont les effets ne se résorberont pas aussi aisément. Il est impossible de combler les manques actuels en recourant à une simple stratégie de main-d'œuvre. Pour que les organisations retrouvent leur équilibre, les dirigeants devront changer de perspective. Rareté oblige, l'heure est à la valorisation des compétences et au développement du potentiel humain. Les autres solutions ne sont que des palliatifs temporaires, des cataplasmes sur une jambe de bois. La matière grise, y compris celle provenant de l'étranger, a acquis une importance décisive.

Contre vents et marées, la valorisation de la compétence s'imposera d'elle-même. La pénurie actuelle amène déjà les plus convaincus à se mettre à la tâche. Cela ne se fera pas sans heurt, le conservatisme et la peur de l'inconnu freinent encore les initiatives. Mais, de crainte d'être pris de court par la situation, même les plus conservateurs devront s'y résoudre. Et ceux qui ne le feront pas de leur propre chef y seront contraints par les événements. Le véritable défi devra être relevé dans un domaine pratiquement inexploré pour l'instant : le domaine du développement du potentiel. Lorsqu'ils devront se retrousser les manches, les dirigeants constateront qu'ils manquent singulièrement d'expertise et de savoir-faire en la matière.

En période d'abondance, une certaine désinvolture avait peu de conséquences. Mais depuis que la rareté a succédé à l'opulence, les vautours du marché se travestissent soudain en experts... Le phénomène est connu : à chaque nouvelle mode du management correspond une conjoncture favorable aux gourous. Les vendeurs de rêve leur emboîtent rapidement le pas, et prétendent régler la crise à coup de formules magiques... L'impatience des dirigeants crée un marché pour ceux qui s'improvisent experts : il leur suffit de jeter un œil de prédateur sur ce territoire encore vierge pour repérer les proies faciles.

Les premiers signes du malaise provoqué par le défi de l'exploitation du potentiel sont déjà perceptibles. Plus inquiétant, ces signes traduisent une incompréhension profonde de la nature du problème. En effet, dépourvues d'expertise en la matière, certaines organisations font actuellement appel à des entreprises spécialisées qui leur vendent au prix fort leur capacité à reconnaître le potentiel de relève interne. Ces entreprises recourent aux tests psychométriques pour offrir des services qui suscitent bien des espoirs. Elles promettent monts et merveilles, et en prime la garantie d'objectivité sans faille qui va de pair avec la science. Manipulant avec la même aisance les tableaux statistiques et les espoirs, certains vendeurs de rêves promettent même de séparer le bon grain de l'ivraie, à travers toute une panoplie d'outils qu'ils sont, comme de bien entendu, les seuls à pouvoir interpréter avec justesse. Le piège se referme alors sur la proie.

Les vendeurs de rêve parviennent de la sorte à rendre leur victime dépendante de leurs services : en raison de l'ampleur de l'investissement financier consenti, le succès ne peut qu'être incontestable ! Comment justifier autrement les sommes colossales investies dans l'affaire? Elle doit réussir, c'est inévitable... Mais trop souvent la question du potentiel, très complexe à cerner, est égarée en cours de route. Et après quelques acrobaties savantes, la quête du potentiel aboutit à une batterie de mesures d'une pertinence douteuse.

Prétextant la nécessité d'effectuer une validation croisée, les sorciers empilent les instruments de mesure sans prendre le temps d'analyser en profondeur les profils de compétences recherchés par l'organisation. Finalement, les rapports d'évaluation n'ont qu'un vague lien de parenté avec les intentions initiales. L'anecdote suivante montre combien l'aventure peut être périlleuse pour l'organisation qui met son avenir entre les mains de marchands de rêves peu scrupuleux.

Une organisation de grande envergure avait entrepris de constituer sa relève en puisant dans son propre bassin de main-d'œuvre. À cette fin, elle avait donc fait appel à des experts en psychométrie qui devaient déterminer quels candidats présentaient un fort potentiel. De la sorte, les dirigeants de l'organisation espéraient pourvoir rapidement des postes qui étaient de plus en plus difficiles à combler. Pour guider ces experts dans l'opération, la direction leur présenta un profil des compétences clés que devait posséder le candidat idéal.

L'organisation lança ensuite un appel d'offres auprès d'établissements d'enseignement, dans l'intention d'offrir aux candidats un programme de formation conçu sur mesure pour les aider à exploiter leur potentiel. Pour tirer tout le profit possible de cette stratégie, elle élabora même un processus d'accompagnement interne, destiné à mettre en valeur l'expérience des cadres qui auraient à jouer le rôle de coach auprès des recrues. Cette stratégie, prometteuse s'il en est, réservait toutefois de mauvaises surprises...

La supercherie apparut au grand jour au cours d'une rencontre de concertation censée faciliter la coordination entre les principaux intervenants : les candidats à fort potentiel avaient été désignés sur la base de tests et de simulations qui ne correspondaient pas au profil des compétences établi par l'organisation ! Pire encore, les instruments de mesure utilisés n'avaient pas véritablement de valeur prédictive : ils mesuraient ce qui était, et non ce qui pouvait être... Et comme le programme de formation avait été élaboré selon le profil fourni par l'organisation, dans le but de libérer le potentiel des candidats, les données de l'évaluation psychométrique n'étaient d'aucune utilité pour les formateurs! Consternation chez les responsables du dossier: 50 % du budget du projet avaient été consacrés à l'évaluation des candidats, en pure perte! De tels dérapages sont malheureusement monnaie courante. Seul point positif au tableau, le recours aux tests avait à tout le moins confirmé le sérieux de l'opération d'évaluation aux yeux des candidats et de leurs supérieurs.

Construire un test psychométrique est un travail de longue haleine, qui doit être effectué dans le respect de règles très strictes. L'objectif final est de «mesurer ce qu'on prétend mesurer». En d'autres termes, un bon test est celui qui permet de toujours atteindre la cible au même endroit, et surtout au bon endroit. Comme l'entreprise n'avait pas utilisé les définitions du profil de compétences établies par l'organisation, ni consacré ses efforts à la mesure du potentiel du candidat, elle avait bien touché une cible, mais ce n'était pas la bonne… Qui plus est, elle avait négligé ce qui intéressait l'organisation: le candidat évalué manifestait-il un potentiel supérieur à la moyenne, se classait-il parmi les meilleurs?

Si douloureuse que la situation ait pu être pour l'organisation, cette anecdote a au moins le mérite de révéler toute la complexité du défi à relever: évaluer le potentiel d'un employé signifie tirer des conclusions sur ce qu'il peut devenir. C'est toute la distance qui sépare la graine de la fleur. À cet égard, aucun test n'est à la hauteur du défi tant sont nombreux les facteurs entrant en jeu. Et la mise en place des conditions propices à l'épanouissement du potentiel n'est pas des moindres. Il y a loin de la coupe aux lèvres quand on se demande si on n'a pas une perle rare entre les mains.

S'aventurer sur la voie de la psychométrie engendre rapidement des coûts colossaux. Conscients des limites de leurs outils, les experts les plus honnêtes proposent de les compléter par des entrevues, de façon à colmater les brèches. La prudence la plus élémentaire s'impose malgré tout, et la démesure des investissements devrait plutôt inciter à emprunter d'autres voies. On peut effectuer l'évaluation et le développement du potentiel en utilisant un cadre de référence différent, qui consiste à envisager la question sous l'angle des résultats à atteindre, au lieu de s'engager sur le terrain des hypothèses prédictives. Or, l'organisation en question avait bien rempli ses devoirs à ce chapitre.

L'essentiel réside dans la pertinence de la solution ! Lapalissade, diront certains, mais il n'est pas inutile de la rappeler. C'est seulement en définissant clairement ce qui est recherché qu'on peut déterminer ce qui doit être observé… Pour reprendre l'expression bien connue, la solution c'est le problème. Les quatre compétences clés récurrentes dans le profil idéal du leader moderne sont liées à des comportements qui attestent qu'une personne a un fort potentiel. Elles sont définies très pragmatiquement, et l'organisation avait ces définitions entre les mains. En les étudiant dans le détail, on peut imaginer comment et à travers quel scénario il sera possible de développer les compétences, étant entendu qu'on accepte de s'en tenir aux comportements observables et qu'on reconnaît à l'organisation la responsabilité de jouer un rôle clé dans le processus de développement du potentiel.

Savoir surmonter les paradoxes et l'incertitude, mobiliser ses troupes, agir en fonction des résultats et créer des partenariats : voilà les quatre capacités idéales que possède le leader dont rêvent toutes les entreprises. Obtenir un tel carré d'as vaut bien tout le temps nécessaire pour imaginer comment ces capacités se traduisent concrètement dans l'action, tant sur le plan du savoir que sur ceux du savoir-faire et du savoir-être. Mais ne nous leurrons pas. Si le savoir s'acquiert assez facilement, il faut beaucoup d'efforts pour le transposer dans l'action (savoir-faire) et dans les attitudes qu'exigent les circonstances (savoir-être), le savoir-être étant le plus difficile à acquérir des trois. Sur ce point également, l'organisation en question avait fait ce qu'elle devait faire, et de manière exemplaire ! Pour connaître le fin mot de l'histoire, une explication détaillée s'impose, qui renvoie à la capacité à gérer les paradoxes et l'incertitude.

Du flou obscur à l'évidence

Le secret est depuis longtemps éventé : l'univers des organisations s'est profondément complexifié depuis l'époque de la Ford T. Tout bouge si rapidement de nos jours que l'incertitude est omniprésente dans la vie des organisations, qu'elles soient à but lucratif ou non. Les informations abondent grâce aux nouvelles technologies, mais elles sont malheureusement souvent contradictoires selon les sources auxquelles on se réfère. Loin de simplifier la tâche, l'accessibilité de l'information entraîne des paradoxes. Et quand la vérité à laquelle on croit dépend de la source d'informations qu'on a choisie, la direction prise à un certain moment peut être la meilleure sur le coup sans nécessairement être valable à long terme. En raison des turbulences qui influent sur l'environnement de l'organisation, chacun dépend de la fiabilité de ces sources. Il est impossible de prendre une décision en se fondant uniquement sur deux ou trois indicateurs grossiers, et il est plus imprudent encore de s'accrocher coûte que coûte à un choix initial. L'incertitude est devenue la règle.

Paradoxalement, cette incertitude envahissante provoque des réactions très différentes selon les individus. Elle incite les plus naïfs à agir au coup par coup, à avancer à tâtons, alors qu'il serait plus avisé de prendre du recul et de se donner le temps de la réflexion. L'attitude de ces derniers tient de l'improvisation et leur vaut parfois d'être qualifiés de «pompiers», tant ils sautent d'une urgence à l'autre, ou de «girouettes», tant ils semblent agir au gré du vent. D'autres restent au contraire paralysés face à l'ambiguïté qu'engendrent l'incertitude et les paradoxes, et on a tôt fait de les dire dépassés par les événements en raison de leurs constantes hésitations. D'autres encore s'en tirent fort bien, naviguent dans la tourmente sans perdre le cap, ce qui leur vaut d'être perçus comme de fins stratèges, voire comme des magiciens. Attardons-nous sur les raisons de leurs succès.

On a coutume d'affirmer que la capacité à agir dans un contexte flou et incertain suppose d'allier intuition, ingéniosité et créativité, la sienne et celle de ses collaborateurs, afin de rechercher des solutions qui permettent de relever des défis. Si mystérieuse que cette approche puisse paraître au premier abord, ou si triviale qu'elle soit lorsqu'on la résume à «avoir du nez», elle passe par des façons de faire riches d'enseignement. Pour comprendre toute leur portée, il faut saisir le sens profond des attentes exprimées par les responsables en quête du leader idéal.

Appeler l'intuition à la rescousse est une façon d'évoquer des capacités d'analyse particulières, alors que parler d'ingéniosité et de créativité renvoie plutôt à des capacités à utiliser habilement certains éléments, sans craindre l'innovation. En d'autres termes, il s'agit de prendre du recul, d'utiliser toutes les ressources dont on dispose, d'agir autrement, d'explorer d'autres voies... En ce sens, plus on se rapproche du terrain, plus le flou qui entoure les bonnes pratiques s'estompe, plus les comportements appropriés deviennent clairs. Il ne peut en être autrement dans un contexte où personne ne détient ni ne contrôle toute l'information.

En contrepartie, l'avertissement est à peine voilé : le gestionnaire qui se laisse chahuter par les circonstances, qui joue au pompier, est loin d'être tiré d'affaire. Ce langage organisationnel traduit à la fois les attentes de l'organisation vis-à-vis de ses cadres et le constat auquel elle parvient en évaluant leur comportement actuel. Si l'affirmation peut sembler crue, elle témoigne néanmoins du pragmatisme dont font preuve les hauts dirigeants.

Les attentes des organisations vis-à-vis des cadres sont claires : les comportements attendus de ces derniers doivent refléter leur capacité à gérer l'incertitude et les paradoxes. Les dirigeants ne recherchent pas une compétence aux contours vagues, mais des attitudes et des comportements précis. Le tableau suivant illustre fort bien le fait que ces attentes peuvent être satisfaites si on recourt à un processus de formation ingénieux, qui se révèle être en même temps une forme de sélection des recrues à fort potentiel[3]. Qui plus est, la logique d'une telle approche de reconnaissance du potentiel s'accorde parfaitement avec celle qui préside à l'élaboration des tests psychométriques, dont la logique consiste à associer une qualité à des indicateurs qui eux-mêmes débouchent sur des faits observables. Cette approche offre les avantages de la psychométrie, tout en nous prémunissant contre les vicissitudes liées au choix d'instruments particuliers dont la valeur prédictive ne serait pas démontrée.

---

3. Soulignons-le au passage, sur ce plan, le réseau de la santé et des services sociaux est en avance sur la majorité des organisations.

Gestion de l'ambiguïté et des paradoxes

La capacité d'agir dans un contexte flou et incertain en ralliant l'intuition, l'ingéniosité et la créativité de ses collaborateurs pour la recherche de solutions permettant de faire face aux défis de son organisation.

COMPORTEMENTS CLÉS DU GESTIONNAIRE	1 EXCELLENT	2 MOYEN	3 FAIBLE
1. Favorise l'expression des différences ou des préoccupations et prend en considération les divers angles d'analyse.			
2. Suscite la réflexion sur les causes d'une problématique et les avenues de solution.			
3. Reformule la problématique à la lumière des renseignements recueillis.			
4. Maîtrise divers outils et techniques d'animation appropriés à la résolution de problèmes.			
5. Utilise les rapports formels et informels pour alimenter la recherche de solutions ou de moyens.			
6. Analyse la portée et les conséquences des solutions proposées, et ce, au-delà de son environnement immédiat.			

7. Soutient les essais, les expériences, les réussites, et incite ses collaborateurs à partager leurs erreurs et leurs succès.			
8. Recadre les diverses variables dans une perspective globale et systémique.			
9. Maîtrise des méthodes et des outils de résolution de problèmes et de réorganisation appropriés à la complexité des problématiques.			
10. Gère un processus de résolution de problèmes impliquant plusieurs intervenants.			
11. Utilise sa compréhension du contexte, de la culture organisationnelle et des acteurs clés pour définir les modalités de résolution d'une problématique.			
12. Évalue les impacts à moyen et à long terme reliés à la résolution d'une problématique majeure.			
13. Obtient l'adhésion requise pour actualiser une démarche de résolution d'une problématique ayant une incidence majeure sur l'ensemble de son organisation.			

Source : Extrait du document *Compétences 2000 : une démarche centrée sur les défis de gestion*, élaboré par Mme Constance Lamarche pour la Confédération québécoise des centres d'hébergement et de réadaptation et la Régie régionale de la santé et des services sociaux de Montréal-Centre, 1996.

Si on veut saisir la perspective adoptée par l'organisation à la lumière de cet extrait, l'attention doit porter sur les comportements attendus de la part des futurs cadres. Ce n'est pas la démarche à laquelle on recourt spontanément, loin de là : la plupart des spécialistes tendront plutôt à se focaliser sur l'énoncé général de la compétence recherchée, s'attarderont sur sa définition dans l'espoir de dénicher le test qui lui correspond le mieux. Mais pour comprendre le point de vue de l'organisation, mieux vaut s'intéresser à la façon dont la compétence se traduit dans les faits et dans l'action que d'en rester à l'énoncé abstrait qui chapeaute la définition !

Dans cette perspective, dire qu'un programme de formation peut répondre aux attentes de l'organisation équivaut à affirmer qu'une stratégie ingénieuse consisterait à créer un contexte dans lequel les comportements attendus seraient expérimentés et intégrés aux habitudes de travail des candidats. Le retournement de perspective est subtil… Ce qu'on souhaitait mesurer *ex ante* devient le filtre à travers lequel on effectue l'observation. En d'autres termes, le programme de formation fait office de test, et la façon dont les participants se comportent permet d'évaluer leurs performances ! Celui qui stagne ou celui qui progresse est aussitôt dépisté, et si le potentiel manque à certains, l'écart se creuse très rapidement.

La stratégie de formation peut remplir une fonction de test à deux conditions. Tout d'abord, sa conception pédagogique doit intégrer l'acquisition de comportements précis. Ensuite, l'encadrement des participants doit être articulé de façon à susciter chez eux des attitudes qui conduisent à ces comportements. Le programme de formation doit en quelque sorte comporter tous les obstacles nécessaires à la démonstration. Ainsi, s'enquérir de l'opinion de ses partenaires sur une question complexe est un moyen d'enrichir sa perspective initiale. Pour agir en ce sens, il faut être ouvert au point de vue des autres et accepter qu'il puisse y avoir des divergences, faute de quoi les consulter reviendrait à leur demander de confirmer son opinion de départ. Pour cette raison même, le programme de formation devra donner l'occasion aux candidats de démontrer qu'ils sont en mesure d'adopter de telles attitudes.

L'hypothèse est qu'un savoir-faire est directement lié à des attitudes particulières, à un savoir-être. On peut en déduire que les attitudes forgent les comportements. Il importe donc, pour exploiter le potentiel, que la stratégie de formation crée un contexte dans lequel ces attitudes et ces comportements seront nécessaires. Mais la réciproque est également vraie. L'apprentissage de nouveaux comportements favorise l'acquisition d'attitudes qui pouvaient faire défaut au départ. À travers une stratégie pédagogique adaptée, il est alors possible d'exploiter la double relation qui existe entre les comportements et les attitudes pour favoriser le développement de compétences particulières. Saisir avec précision le but à atteindre est la clé de la réussite.

Les devoirs du management

Certes, le potentiel doit être présent. Mais constater son absence, si tel est le cas, revêt une importance capitale quand on saisit bien la portée des attentes de l'organisation. La stratégie de formation n'est pas suffisante en elle-même, l'organisation a aussi sa part de responsabilités. Si le potentiel est bien là, impossible de faire l'économie de la formation : le véritable défi consiste ensuite, d'une part, à mettre en place une stratégie de développement du potentiel et, d'autre part, à apporter aux recrues l'encadrement dont elles ont besoin pour mieux s'exercer et, surtout, transférer leurs apprentissages lorsqu'elles reprennent le travail. Cette coresponsabilité conditionne toute la question de l'exploitation du potentiel. Le management a aussi des devoirs.

La gestion de l'or gris est d'abord et avant tout un défi humain, avec tout ce qu'implique cette indispensable coresponsabilité. En comprenant mieux ce que recherche l'organisation, les besoins qu'elle exprime à travers le profil de compétences qu'elle établit, il est plus facile de trouver des pistes de solution prometteuses, des pistes qui sont plus exigeantes pour elle. Au fil de cette quête, on prend la mesure des conséquences de la coresponsabilité, et le plus important est de comprendre que l'organisation est le creuset où le potentiel peut soit mourir soit être mis en valeur.

Quels que soient le profil recherché par l'organisation et le potentiel qui est à sa disposition, jamais elle ne pourra se laver les mains des résultats. En ce sens, le réveil du management et la quête du leader du futur nous rappellent que la gestion des personnes n'est que la première étape du développement de l'or gris. Il est également vital de bien arrimer la stratégie de formation et la stratégie d'encadrement des recrues que privilégie l'organisation. Rien ne sert de planter des boutures dans une terre stérile.

L'image a beau être évocatrice, la tâche n'en est pas moins étrangère aux habitudes des gestionnaires... Voilà pourquoi il est nécessaire d'aborder la question en insistant fortement sur le rôle des cadres en poste. À bien des égards, ils ont un rôle déterminant à jouer pour protéger l'investissement consacré à la préparation de la relève. Ce rôle vis-à-vis de la relève va bien au-delà de la question de l'exploitation du potentiel des recrues et recouvre également la gestion globale de l'or gris, autrement dit la gestion des compétences auxquelles l'organisation fait appel pour réaliser ses objectifs.

En un mot, la gestion des conditions du succès ne se limite pas à des considérations matérielles, par exemple payer la formation des recrues ou leur permettre de mettre leurs apprentissages à l'épreuve. Elle suppose aussi de prendre en charge la quête du sens menée dans l'organisation. Responsabilité inhabituelle s'il en est, la gestion du sens n'en est pas moins le défi qu'auront à relever aussi bien les recrues que les cadres actuellement en poste.

Il est maintenant on ne peut plus clair qu'en s'engageant dans le management des compétences les dirigeants mettent le pied sur un territoire où leurs armes préférées risquent d'être fort peu utiles. Leurs repères familiers s'estompent et leur vision a perdu de sa pertinence. Les champions du jeu de dames doivent apprendre à jouer aux échecs ! Et les règles du jeu ne sont plus les mêmes. L'organisation-machine n'est plus. Une nouvelle vision reste à forger.

7

Gérer la symphonie désordonnée : vers une nouvelle métaphore

La première partie de cet ouvrage décrit les défis posés par un contexte en mutation. Cet environnement en proie aux turbulences et marqué au sceau de l'incertitude laisse entrevoir les principaux traits qui caractériseront le leader de demain. Les héros solitaires céderont la place à des leaders qui orienteront les destinées de l'entreprise en privilégiant les trois pôles que sont : la capacité des personnes, leur volonté de s'engager et la définition des conditions du succès qui créent un contexte favorable au management des compétences.

Le principal effet de la gestion des hommes est de reconfigurer le rôle du leader. Les nouvelles compétences dont il doit faire preuve relèvent à la fois de ses connaissances, de son savoir-faire et de son savoir-être. En d'autres termes, le leader de demain devra gérer l'action autrement et adapter ses attitudes à son rôle. Si certains en doutent encore, c'est qu'ils restent sourds aux cris d'alarme qui résonnent à leurs oreilles !

Il est important de noter que la création des profils qui guident de plus en plus les directions dans le choix de leur personnel d'encadrement traduit une tendance réelle. Bien que ces profils aient une portée pragmatique, toutes sortes d'interprétations circulent sur la signification à leur donner et elles ne rendent pas compte du caractère concret des attentes exprimées. Penchons-nous un instant sur l'expression « avoir de la vision ». La *vision* est habituellement associée à une certaine capacité d'anticipation, à une capacité à lire les tendances lourdes de l'environnement qui permettrait d'effectuer les adaptations nécessaires pour obtenir un positionnement concurrentiel plus avantageux... Mais est-ce bien là le sens des attentes exprimées à l'endroit des leaders modernes ? Quelques nuances s'imposent.

La signification de ces attentes dépasse aujourd'hui les frontières du cadre proposé par la plupart des spécialistes de la stratégie d'entreprise, pour cette simple raison que le contexte dans lequel ils avaient défini ce cadre a évolué. La gestion classique a cédé la place à la gestion du changement. « Avoir de la vision » ne peut plus avoir la même signification qu'avant.

Alors que l'environnement de l'organisation se transformait auparavant sur des périodes plus ou moins longues, nous sommes entrés dans une ère de mutations brutales et rapides, ce qui devrait à tout le moins semer le doute dans les esprits. Traditionnellement, le concept de vision était associé à la fois au rêve et à l'expertise. Certains spécialistes évoquent en effet l'univers du rêve en l'associant à ce concept. Ils traduisent ainsi l'espoir que le leader nourrirait à propos de l'avenir de son organisation. Associer le rêve à la vision revient à définir le leader comme un individu qui forge dans le présent le futur de son organisation, qui se fixe pour horizon un futur hypothétique en espérant que ses vœux se réaliseront à travers ses actes.

D'autres spécialistes mettent l'accent sur la dimension de l'expertise. Ils laissent ainsi entendre que le leader ne s'appuie pas uniquement sur des espoirs et des rêves, mais aussi sur des faits, sur des résultats concrets. Le leader saurait mieux que personne analyser l'environnement et la concurrence. Le leader expert complète cette première analyse en dressant un constat : celui de l'état de santé de son organisation. Il y parviendrait en se fondant sur une compréhension profonde des tendances lourdes qui transforment son territoire. Si on associe les dimensions du rêve et de l'expertise, le leader aurait à la fois la tête dans les nuages et les deux pieds sur terre. Pour séduisante qu'elle soit, cette image rend pourtant de moins en moins compte de la réalité.

Avec la mutation du contexte dans lequel vivent les organisations, un nouvel ordre s'est instauré. En raison du rôle clé joué par l'or gris, la qualité des ressources humaines est progressivement devenue l'avantage concurrentiel décisif. Cette transformation enrichit l'expression « avoir de la vision » d'une dimension particulière : la relation qu'entretient le leader *visionnaire* avec ses partenaires.

L'organisation se présente sous un nouveau jour depuis que la chasse aux cerveaux a conduit à repenser le sens de la gestion des ressources humaines. L'individu a repris de l'importance face aux ressources plus classiques, comme en témoigne l'attrait soudain exercé par les formations axées sur le développement des compétences. Cette approche a rapidement gagné du terrain au détriment des programmes articulés autour des pôles d'expertises disciplinaires. Tout se déroule comme si, tout à coup, certains comprenaient intuitivement que l'expertise est peu de chose en elle-même, qu'elle doit nécessairement être utilisée par quelqu'un, voire s'incarner dans une personne qui la traduit en actes et qui adopte des attitudes précises. C'est du moins le sens qu'on peut donner à l'intérêt que les organisations portent aux profils de compétence et aux programmes qui s'en inspirent. Mais si l'affirmation tient de l'évidence, ses effets sont plus importants que prévu.

En se transformant, le concept de vision a acquis une dimension humaine beaucoup plus marquée. Voilà pourquoi la quête de sens qui marque notre époque semble avoir pour pendant la valorisation de leaders aux compétences si différentes. On espère d'eux qu'ils sauront gérer cette quête, c'est-à-dire qu'ils sauront donner un sens au quotidien de leurs partenaires. Pour y parvenir, les leaders doivent devenir des maîtres dans l'art de mettre les cerveaux en réseau, de donner au travail un sens qui réponde au besoin de l'individu de se définir comme un artisan au service de la cathédrale, et non comme un simple casseur de cailloux !

L'intérêt marqué dont fait l'objet cette vision enrichie d'humanités nous invite à mettre l'accent sur la gestion des personnes et à ne pas en rester à la gestion des ressources humaines prise dans le sens classique du terme. À travers la métaphore de l'orchestre, dont le chef serait en quelque sorte le gestionnaire, les défis quotidiens que doit relever le leader contemporain prennent une nouvelle dimension, acquièrent un caractère profondément humain. Le leader doit bien saisir cette nuance s'il ne veut pas succomber aux lieux communs qui enjolivent les ouvrages consacrés à la planification stratégique.

Enrichir l'expression « avoir de la vision » d'une dimension plus humaine revient à sortir des sentiers battus. Certains redouteront peut-être qu'il en résulte un désaveu à peine voilé ou une remise en question de l'importance de la planification stratégique. Mais telle n'est pas l'intention. De nombreux ouvrages traitent de la stratégie d'entreprise, et leur apport est précieux à la réflexion du leader qui s'efforce de définir des orientations à long terme. En revanche, très peu d'ouvrages mettent l'accent sur la nécessité de consacrer du temps à la gestion du sens au quotidien, aux phénomènes humains qui perturbent actuellement tant de leaders. Cet enjeu est pourtant tout aussi lourd de conséquences. Il s'agit donc de combler un manque en instaurant une véritable synergie des cerveaux. Raison et émotion ne peuvent être éternellement dressées l'une contre l'autre.

Les leaders désireux de créer cette synergie des cerveaux ont peu de repères, hormis l'idée de la création d'un projet partagé, un thème sur lequel certains auteurs ont insisté et qui a marqué l'épisode de la qualité totale. On l'évoque toujours, comme par réflexe, en utilisant des expressions telles que « l'organisation apprenante » ou, lorsqu'on se veut plus moderne, « l'organisation intelligente ». Ces expressions souffrent de la même faiblesse : elles laissent croire que le phénomène se déroule dans un monde où les hommes n'ont pas leur place. Il n'en est rien, bien au contraire.

Au fil des années, la plupart des gestionnaires se sont nourris de conférences portant sur un large éventail de thèmes, dans l'espoir d'en dégager les moyens de propulser leur organisation au premier rang. Mais les exposés si séduisants des gourous éphémères sont souvent mis à profit par les vieux filous de la gestion pour rafraîchir leur discours, bien plus que pour transformer leurs pratiques quotidiennes ou leur mentalité. En conséquence, les mots chocs se sont usés, et la confiance a disparu : les troupes en ont conclu qu'il s'agissait d'un subterfuge. Certains gestionnaires ont heureusement saisi un aspect plus subtil du message : la logique et la rationalité ne sont que les premiers pas vers la sagesse, et l'organisation ne peut se passer de ceux qui la font. Ces leaders plus avisés en ont tiré des conclusions sur ce que doit être leur rôle.

L'homme est à la fois raison et émotion. On trouve nécessairement cette dualité dans l'exercice d'un leadership mobilisateur. Comme le traduit si bien l'expression paradoxale qu'est « l'intelligence émotionnelle », les gestionnaires doivent porter un regard neuf sur leurs collaborateurs. Il est dans leur propre intérêt de comprendre qu'on ne peut s'adresser aux personnes qu'en restaurant avec elles un véritable contact. Aucun plan stratégique ne trouvera grâce à leurs yeux s'il n'y a pas une profonde implication personnelle des dirigeants. Ceux qui l'ont compris ont acquis une connaissance plus approfondie de leur rôle et de toute sa complexité, et ils ont surtout pris conscience des paradoxes qui jonchent leur route quand, par mégarde, il leur arrive de ne pas prendre en compte le facteur humain dans toute sa globalité.

Le constat est paradoxal : ces leaders ont aussi découvert qu'en redonnant sa place à l'homme dans l'organisation, ils s'affranchissaient d'une foule d'attentes contradictoires et d'une vision du monde qui amène à confondre le possible et l'idéal… Ils sont alors sortis d'une logique qui leur faisait perdre leurs moyens, ils ont abandonné l'idée qu'il est possible de faire abstraction de la dualité raison-émotion. En un mot, ils ont compris que c'est seulement en reconnaissant la valeur des personnes qu'on peut susciter chez elles un intérêt pour un projet, et qu'en retour ce projet nourrit les personnes. Voilà pourquoi il est question, dans cette seconde partie, de « gérer la symphonie désordonnée ». Les stratèges aspirent à forger des leaders créatifs, alors que ces derniers existent déjà, sans qu'ils les voient ! Et on les trouve là où on ne les attendait pas… Remettre de l'ordre dans l'orchestre réglera bien des choses, libérera le potentiel.

Face à la complexité de leur quotidien et de leur rôle, dans un environnement constamment soumis aux turbulences, bien des stratèges en viennent à la longue à se piéger eux-mêmes. Ajoutons, avec un brin d'humour, que certains nourrissent même l'espoir farfelu que tout se simplifiera, que tout deviendra soudain évident aux yeux de chacun de leurs collaborateurs et que la lumière surgira miraculeusement au bout du tunnel. Si leur rêve se concrétisait, ils n'auraient pas à entretenir une relation si étroite avec leurs partenaires et ils pourraient espérer retrouver leur ancienne quiétude.

Prisonniers de ce fol espoir, ils vivent des moments d'euphorie qui les conduisent directement dans des culs-de-sac, car ils passent tout simplement à côté de la réalité humaine de leur organisation. Ils prennent leurs désirs pour des réalités et sombrent dans l'utopie. Certains aspirent par exemple à régler la question du potentiel le plus rapidement possible afin de passer au plus vite aux choses vraiment importantes. Or, leur rôle n'est-il pas stratégique justement parce que cette tâche n'est jamais totalement achevée ? On trouve de nombreux exemples des conséquences de ce syndrome dans le réseau de la santé et des services sociaux. L'idéalisme de certains s'apparente au rêve.

Pour l'observateur extérieur, il serait malvenu de douter de la bonne foi des dirigeants de ce réseau. Les stratèges du monde de la santé rêvent d'un réseau intégré de services, où tout fonctionne sans heurts, qui aurait les moyens de ses ambitions, et pas seulement l'ambition de disposer enfin de moyens. Tout porte même à croire que ces dirigeants attendent le jour où ils pourront enfin exercer leur profession dans des conditions si favorables que la perfection sera du domaine du possible. Bref, remplis d'idéalisme, ils consacrent une énergie incroyable à ce réseau, qui tout à coup leur échappe tant la réalité du quotidien a peu à voir avec leur rêve. L'évidence n'est pas donnée au départ, pas plus qu'elle ne surgira tout à coup par magie. La vision est à bâtir. L'orchestre doit sans cesse être ramené à la partition.

En dépit de cette évidence, ces dirigeants persistent et signent. Pour leur plus grand malheur. Certains perdent même de vue que les besoins toujours croissants des bénéficiaires rendent l'équation insoluble, que les limites du faisable se resserrent dans la mesure même où ils croient à un rêve irréaliste. Ils entretiennent l'espoir qu'ils parviendront à leurs fins, au prix de savantes manœuvres, jusqu'à ce que le piège se referme finalement sur eux. Ils excellent dans l'art de faire leur propre malheur en se fixant des objectifs si élevés qu'ils sont voués à l'échec. Et leur comportement laisse penser qu'ils refusent d'admettre la croissance inévitable des besoins qu'entraîne le vieillissement démographique. Ils en oublient jusqu'à cette composante essentielle de l'exercice de leur fonction qu'est le *partage des responsabilités*. Tout ne dépend pas d'eux ! Il leur suffit de l'oublier pour réveiller le Don Quichotte en eux et même pour occulter le sens fondamental de leur mission de leader mobilisateur.

« Gérer la symphonie désordonnée » est une expression évocatrice qui marque l'imagination. Le leader à qui incombe cette mission doit l'entendre dans un sens très particulier : il est le premier concerné par ce rappel à l'ordre et il doit, lui aussi, s'en tenir à la partition. La métaphore de l'orchestre permet d'évoquer le désordre qui précède la symphonie… Le terme « gérer » trouve ici tout son sens : le leader se doit de jouer un rôle actif lorsqu'il saisit combien il est important de façonner le milieu dans lequel évoluent ses troupes. Il peut le faire de plusieurs manières.

S'il suit la voie de la facilité, il peut, à travers ses comportements, rejoindre les rangs des fatalistes qui croient être les victimes innocentes d'un système absurde et responsable de tous les maux. En agissant ainsi, il façonne un environnement régi par l'absurde.

À l'inverse, il peut offrir une version positive de la situation en changeant d'abord lui-même d'attitude. L'avenir est toujours en mouvement, et le changement continuel traduit avec force cette réalité. Il est possible de dominer le changement, mais pour en devenir le chef d'orchestre encore faut-il bouger soi-même et être conscient du pouvoir qu'on exerce sur son milieu. Si les choses étaient immuables, les leaders seraient inutiles : tout serait écrit d'avance et leur rôle se résumerait à réaffirmer le connu. Seul le changement donne une telle importance aux leaders.

Le mot « symphonie » éclaire également la métaphore. Pourquoi employer ce mot plutôt que « chaos », « capharnaüm », « confusion », ou d'autres, plus sombres encore, qui rendent également compte de la difficulté à réconcilier les événements et les idéaux ? Le choix du mot « symphonie » s'inscrit dans la même perspective. Les aspects humains de l'organisation et la diversité qui en découle sont les traductions les plus évidentes du libre arbitre, du pouvoir des individus sur leur environnement. L'image de la symphonie souligne combien le leader est partie prenante de l'ordre qui doit être instauré. Il n'est pas une simple victime ou un spectateur passif du changement.

Quand certains en appellent au chaos, mieux vaut y déceler les premiers signes du changement, autrement dit *avoir de la vision*, que d'y voir les traces de la subversion ou même de la révolte. Il est important de reconnaître à chacun le droit d'exprimer comme il l'entend sa perception du « chaos », quel que soit le terme utilisé. Le pendant de ce droit à la différence a tout pour rassurer : chaque personne est unique et peut apporter une contribution particulière… En d'autres termes, chacun participe à la symphonie. Tous ne sont pas des solistes, heureusement, car l'orchestre se crée dans le mariage des différences. Au chef de savoir exploiter avec sagesse tous ces talents.

Les différences individuelles constituent de puissants leviers de changement. Chacun aspire à être reconnu pour ce qu'il est. Nul ne souhaite être considéré comme un clone ou tenu pour quantité négligeable. Et cette différence, si précieuse à chacun car elle lui donne le sentiment d'exister, a un prix. Affirmer que chacun est seul à pouvoir jouer les notes dont il est responsable revient à reconnaître à chacun une part de responsabilité dans l'interprétation globale de l'œuvre. Reconnaître à chacun le droit à la différence est la condition sine qua non de la responsabilisation, et c'est à cette condition que chacun prend une part active au changement.

Enfin, le mot « désordonnée » : c'est le seul terme dont la connotation est apparemment négative, mais elle est loin de l'être en l'occurrence. Il est ici associé au concept de symphonie, et tous les amateurs de grands concerts savent que le petit rituel d'ajustement qui précède celle-ci est bien naturel. Ce rituel donne une impression de cacophonie. L'harmonie n'apparaît qu'au moment où le chef d'orchestre lève sa baguette pour réunir tous les artistes autour du même projet, d'une même mission : l'interprétation de l'œuvre. Du désordre initial surgit alors l'ordre, à la cacophonie succède la mélodie.

Le rôle du leader est à cette image : comme le chef d'orchestre, il a la responsabilité de mobiliser ses troupes. Cette image est importante. Elle traduit la richesse qui découle de la différence, l'apport unique de chacun. Ainsi les partitions individuelles contribuent toutes à l'œuvre, à ces harmonies tant appréciées. En ce sens, le terme « désordonnée » évoque l'harmonie et le succès d'une équipe multidisciplinaire riche des différences qui la rendent possible. Bref, la contribution de chaque musicien est essentielle, tout comme celle du chef.

Atlas peut dormir en paix et continuer à croire que la différence est le premier signe de la dispersion du potentiel. En mobilisant les différences, le leader peut atteindre un objectif qui resterait hors de portée du héros solitaire. D'où l'importance de l'or gris. Chacun apporte quelque chose d'unique. Et selon l'œuvre qu'il faut interpréter, comme dans une symphonie, certains musiciens auront un rôle plus important que d'autres. Si pénibles que soient les périodes au cours desquelles ces différences font naître des oppositions ou des affrontements, elles ne sont que des intermèdes. C'est dans ces tourbillons que la qualité de jugement du leader prend toute son importance : le véritable défi que pose la mobilisation des intelligences se noue précisément dans ces moments où apparaît la quête du sens.

Le défi a une dimension humaine indéniable, et même une dimension individuelle qui peut facilement porter à imposer aux autres une vision particulière de la réalité. Même le leader le mieux disposé risque, à un moment ou à un autre, d'essayer de convaincre les autres qu'il détient la vérité, de prendre une position qu'il défend comme une réalité objective. On imagine sans mal les arguments auxquels il peut recourir. C'est là que se noue l'écheveau : le mouvement produit une guerre des mondes, une lutte entre des vérités souvent aussi subjectives les unes que les autres. Le premier violon n'est pas l'orchestre, pas plus que sa partition particulière n'est suffisante pour jouer la symphonie. On voit déjà apparaître en filigrane le défi posé par la recherche d'une mobilisation des intelligences.

Le leadership mobilisateur repose sur la gestion des différences. Il est illusoire de croire qu'on peut contourner ce défi en concevant un simple plan et en se passant d'un véritable dialogue. Un leader qui travaillerait derrière des portes closes laisserait toute la place aux rumeurs, à cette créativité débridée qui comble tout déficit d'information lorsque survient la quête du sens. Et comme tout se joue alors sur le plan des communications interpersonnelles, le leader prend les devants ! Il entreprend un voyage au cœur de la communication car c'est seulement là qu'il trouvera la solution pour faire naître la symphonie de la cacophonie...

Communiquer pour gérer le sens

Communiquer semble bien naturel. On a pourtant trop tendance à croire qu'il suffit de transmettre convenablement une information pour que la personne à qui elle est destinée la comprenne aussitôt et agisse en conséquence. Il y a là un mythe. Le phénomène de la communication est tout autre, et il s'élève à un degré d'une rare complexité. La complexité de la communication humaine a même amené les plus grands spécialistes à considérer celle-ci comme le pivot autour duquel se construisent les réalités sociales, en d'autres termes : les visions du monde. L'actualité foisonne d'exemples qui appuient ce point de vue.

Par exemple, la guerre menée en Irak par les États-Unis a donné lieu à des affrontements d'idées très engagés. Pour certains, cette guerre est le résultat de l'« impérialisme américain ». Pour d'autres, elle peut constituer une réponse logique au terrorisme international, un prolongement naturel de la guerre du pétrole ou une mesure peu subtile destinée à reprendre le contrôle du Moyen-Orient en isolant l'Iran. Un peu partout dans le monde, même aux États-Unis et en Grande-Bretagne, des clans soutiennent l'une ou l'autre de ces interprétations. Les luttes entre les tenants de ces différentes opinions sont loin d'être terminées, mais qu'importe, elles ont une signification : communiquer n'est pas un simple échange d'informations. Ces luttes révèlent un affrontement entre des clans qui tentent d'imposer une interprétation des événements. Cette diversité s'apparente à la cacophonie... et crée l'obligation de communiquer pour gérer le sens.

Chacun propose une vision du monde, une version des faits, interprète le conflit irakien dans un sens qu'il estime juste : il suffit de lire la presse écrite, de regarder la télévision, de prêter l'oreille aux différents groupes de pression ou d'écouter l'homme de la rue pour s'en convaincre. Voilà une illustration de la quête du sens menée sur plusieurs plans. L'existence simultanée de réalités dites objectives, qui s'opposent, force arguments à l'appui, n'est pas une surprise : le fait a déjà été souligné. Le phénomène ne perd pas pour autant son importance. La réalité est plurielle, au niveau interpersonnel comme à l'échelle de la société. Il existe simultanément plusieurs versions, dont certaines sont même contradictoires. Si de telles affirmations confirment l'ampleur du défi, elles rendent compte aussi du matériau que le leader a entre les mains. Constater cette évidence confirme la nécessité de mobiliser ses troupes et aide à mieux jauger ce défi, à le jauger plus finement.

Certes, le défi évoqué par les luttes d'opinion paraît démesuré lorsqu'il est question de guerre ou de paix. Tant de valeurs se heurtent que la réconciliation semble impossible. À une échelle moindre, parvenir à une réconciliation est aussi le défi que doit relever le leader qui fait face aux paradoxes résultant des diverses expertises qui lui sont confiées. Il a la responsabilité de mobiliser des «bâtisseurs de réalité», des individus qui exercent leur pouvoir sur leur environnement!

La situation n'est pas sans issue, et il n'est pas illusoire d'espérer améliorer la communication au sein de l'organisation ou entre les expertises. Le phénomène est complexe, mais sa dynamique est connue. Tous les espoirs sont permis à condition de se débarrasser de quelques mythes et de quelques croyances réductrices à propos de la communication interpersonnelle et organisationnelle. Pour peu qu'on accepte le défi du management de l'or gris, on peut apprivoiser le phénomène de la communication au point d'en tirer de grands avantages au quotidien et même de créer un milieu de vie exceptionnel. Cela n'est possible qu'à condition d'adopter une approche pragmatique de la communication.

Un voyage au cœur de la communication engendre inévitablement des deuils. Pour arriver au terme de ce voyage, on doit renoncer à des convictions et à des certitudes qui sont parmi les plus répandues. Mais le périple permet de mieux comprendre le rôle du leader, ses relations avec ses partenaires et le vécu professionnel dans l'organisation. Le leader qui accepte le pari redécouvre combien il peut être fructueux de dialoguer en permanence avec ses troupes. Il découvre aussi tous les avantages qu'il y a à prendre l'initiative de la quête du sens. Le jeu en vaut la chandelle. Renoncer entretiendrait la cacophonie.

8
Petit traité de communication à l'usage des leaders

Que masque l'expression « bâtisseurs de réalité » ? Pourquoi l'évoquer à propos d'un leadership mobilisateur dont le résultat final serait le management des compétences et du potentiel ? Ce choix relève d'une évidence dont les conséquences sont décisives, mais qui est, ô combien ! négligée dans le management traditionnel. Sans qu'il soit besoin de recourir à une démonstration scientifique, on peut affirmer que cette évidence tient presque du sens commun. Penchons-nous sur la dynamique de la perception afin de recadrer la conception traditionnelle de la communication. Ce détour nous permettra de l'élever au rang de levier du management des compétences.

Le phénomène est bien connu, la perception agit tel un filtre entre l'individu et son environnement. Nos sens sont imparfaits et nous appréhendons notre environnement par leur intermédiaire. Il s'ensuit une distorsion. Ce constat meuble les premiers chapitres des ouvrages les plus élémentaires consacrés au comportement humain. Mais les effets de ce filtre sur la communication sont très vite passés en revue, quand ils ne sont pas tout simplement laissés de côté... En un mot, la perception est sélective. Chacun construit sa représentation du monde en se fondant sur des données incomplètes. Or, une fois que cette représentation est construite, les certitudes envahissent l'esprit et le rendent imperméable aux informations divergentes et aux contradictions. Autant dire que chacun a sur le nez une paire de lunettes déformantes. D'où la multiplicité des « réalités » qu'on trouve au sein de toute organisation.

Le phénomène est on ne peut plus humain. Le filtrage qui résulte de la perception n'est pas une maladie que l'individu devrait soigner. Au contraire, en prendre conscience invite à faire preuve de sagesse, à admettre que nul, soi y compris, n'a une maîtrise parfaite de l'information, même quand nos sens nous en donnent l'impression. Cela pose toutefois un défi de taille au leader qui a la responsabilité d'orchestrer la mobilisation des intelligences autour d'un projet partagé. La voie qui s'offre à lui, loin de requérir un antidote, passe par les mêmes méandres, par la prise en compte des filtres qui paraissent néfastes au premier abord. En effet, si le filtre qui altère notre vision du monde conduit chacun à consigner ses observations dans un petit carnet, comme l'anthropologue cherchant à comprendre une culture étrangère, l'objectif du leader doit être de créer un carnet partagé par tous. Le dialogue est le seul instrument valable lorsqu'on poursuit ce but. Malheureusement, le dialogue est lui aussi soumis aux effets de la perception, constat qui invalide le mythe du management orthodoxe selon lequel il suffit de transmettre une vision claire du projet de l'organisation pour sortir de l'impasse. La tâche du leader semble alors tenir de la quadrature du cercle. Reste à trouver la brèche : le sens est à construire, il n'est pas donné au départ.

On pourrait légitimement craindre que la tâche soit chimérique si la communication se résumait à une simple transmission d'information. Heureusement, si la communication est bien de cet ordre, elle va également bien au-delà et ne s'arrête pas à cette frontière apparente. Nous sommes tous plongés dans un état de communication. On ne choisit pas de communiquer, nous sommes une information les uns pour les autres. À l'image d'Obélix tombé à la naissance dans une marmite de potion magique, nous sommes tombés dans la marmite de la communication et nous en sentons encore les effets ! Impossible d'échapper à la communication. Les chercheurs de l'école de Palo Alto l'ont démontré, et l'originalité de leur démonstration n'a d'égale que sa simplicité désarmante.

Le cœur de la démonstration repose sur un constat surprenant : il est impossible de ne pas avoir de comportement. Le terme « comportement » englobe tout, et pour être plus précis, il n'existe pas de *non-comportement* ! Quoi que nous fassions, nous adoptons toujours un comportement : même lorsque nous croyons ne rien faire, nous faisons quelque chose aux yeux des autres. Les choses deviennent intéressantes. La nature de la brèche se précise.

Tous nos comportements ont une valeur de message aux yeux des autres, quoique nous en pensions, que nous le voulions ou non. Pour les autres, nous constituons une « information disponible » dans leur environnement, nous sommes matière à interprétation. Le simple fait d'être présent signifie quelque chose aux yeux des autres. Si le doute persiste dans l'esprit de certains, il suffit de tenter d'imaginer ce que serait un non-comportement : cela ramène aussitôt au point de départ. Imaginons un individu immobile au milieu d'une place. Au premier abord, il semble invalider notre énoncé. Mais cet individu constitue un obstacle que doivent contourner les personnes qui traversent la place : il acquiert donc une signification aux yeux des autres. Nul ne peut décider d'être perçu par les autres ! Dès que deux individus sont en présence l'un de l'autre, il y a communication.

Autant le considérer comme acquis, communiquer n'est pas un choix. Et il ne s'agit pas non plus d'un acte qui, par nature, implique la volonté. En dépit de tout, aux yeux de l'autre nous sommes toujours dans un état de comportement, et l'interprétation de ce comportement dépend justement de l'autre. La communication est un état : « on ne peut pas ne pas communiquer »[4]. Tout au plus pouvons-nous adopter des comportements qui indiquent à l'autre notre désir de ne pas communiquer ; mais c'est là encore une forme de communication : nous communiquons notre volonté de nous soustraire à la communication. Cette attitude est plus fréquente qu'on pourrait le croire, mais tous les efforts déployés pour ne pas communiquer sont voués à l'échec.

Dans un supermarché, la personne qui change d'allée pour éviter de croiser quelqu'un qui lui tape sur les nerfs ou qui plonge le nez dans l'étalage dans l'espoir de passer inaperçue en offre une illustration éloquente. Quelles que soient les raisons de cette personne, l'autre peut l'ignorer ou l'aborder dès lors qu'il a perçu ce comportement… et s'il n'a pas compris qu'il était face à un comportement d'évitement, il risque de s'imaginer que sa connaissance ne l'a pas aperçu ! S'il n'a pas saisi le manège, il se peut même qu'il aborde la personne qui souhaitait l'éviter, à la grande déception de cette dernière. Et l'effet

---

4. Pour une discussion approfondie du thème, voir les travaux de Watzlawick, Beavin et Jackson (1972) et de Watzlawick et Weakland (1975).

risque d'être plus désagréable encore s'il comprend qu'on essaie de l'éviter... Exprimer le souhait de ne pas communiquer est parfois assimilé à une insulte ou, à tout le moins, à un manque de savoir-vivre... quand ce n'est pas perçu comme une agression !

Ici s'amorce le changement de perspective que nous avions annoncé. Porter un regard différent sur le quotidien fait progressivement basculer la conception traditionnelle de la communication. Mais envisager la réalité d'un regard neuf présente l'avantage d'ouvrir de nouvelles possibilités. Une telle démarche met à la disposition du leader des hypothèses de travail qui rendent réaliste la gestion du sens : l'interprétation du message a beau échapper à son contrôle, la tâche n'a rien d'utopique.

La construction du sens passe par des rituels connus

Dans quel contexte le défi du leadership mobilisateur se présente-t-il ? Pour décrire ce contexte, reprenons l'image des « bâtisseurs de réalité » qui paraissaient au départ être les victimes de la profonde quête du sens qui marque les périodes de turbulences dans lesquelles se débattent les organisations. Victime ou acteur ? L'étiquette fait toute la différence. Bien des leaders estiment être victimes de cette quête et ils agissent en conséquence. Ils y perdent au change car ils créent eux-mêmes l'impasse dans laquelle ils viennent buter !

Chacun aborde la communication à travers sa propre perception, à travers un filtre qui amène naturellement à sélectionner l'information, à construire sa version de la réalité, sa vérité... Et cette vérité a tôt fait de devenir *la* vérité, celle que tous les autres gagneraient à adopter. On peut relever des indices de ce phénomène à chaque instant de la vie courante. Très souvent ils se manifestent sous la forme d'un « oui, mais... » qui fait comprendre à l'autre de quelle façon il devrait ajuster sa vision. L'effet est encore plus perceptible au sein des équipes pluridisciplinaires qui ont à résoudre des questions complexes, tant les domaines spécialisés constituent un terrain fertile pour ces *vérités*.

En raison même de son rôle, le spécialiste a tendance à agir spontanément dans ce sens. Chaque spécialité s'inscrit dans un cadre de référence particulier. L'effet déformant tient de la caricature pour l'observateur extérieur un tant soit peu attentif. Qui n'a jamais été témoin du jeu des « oui, mais… », des « cependant, si tu tiens compte du fait que… », des contradictions plus directes, mais de même nature, telles que « je ne partage pas ton point de vue, car… », ou des réparties plus mordantes du type « tu charries, ça n'a pas de sens… » ? Bref, ces expressions agrémentent les discussions, mettent du piquant dans les débats entre experts. Elles révèlent aussi combien les vérités individuelles pèsent lourd dans les relations qui se créent dans les contextes pluridisciplinaires : les experts ont un devoir d'expertise ! Ils sont des promoteurs de sens, du moins du sens inspiré par leur domaine de spécialisation.

Comme des avocats qui défendraient chèrement leur cause, au fil de leurs plaidoyers quotidiens, les experts répandent ces expressions toutes faites dans l'environnement où évolue le leader, au point qu'elles semblent être devenues la norme. Et puisque ce réflexe est considéré comme naturel, voire inévitable, le cul-de-sac où il conduit n'a rien pour surprendre. Tout se passe comme si le but était de démontrer la valeur d'une opinion, d'une vérité… En d'autres termes, le réflexe de l'expert est de proposer sa version de la réalité comme *la* version de référence », comme celle que l'autre devrait adopter s'il faisait preuve d'un peu de jugement ou de l'objectivité la plus élémentaire. En dépit de toutes les bonnes volontés, chacun dispose de son petit carnet de certitudes, et l'équipe plonge sans tarder dans un labyrinthe de vérités contradictoires, passe le plus clair de son temps à jongler avec des arguments avancés pour défendre des versions particulières de la réalité. Ce cas de figure est fréquent dans le réseau de la santé et des services sociaux. Chaque changement semble aboutir à une guerre des mondes. Le leader est aux prises avec une dialectique des expertises.

Ce type de cul-de-sac a fait naître bien des frictions dans les nouvelles équipes pluridisciplinaires quand les fusions de missions et d'établissements du réseau ont conduit au regroupement des responsabilités juridiques et psychosociales dans le secteur des jeunes contrevenants. Chacun avait son point de vue sur la marche à suivre et d'excellents arguments pour défendre *sa* réalité ». Les débats auxquels donnaient lieu les discussions reflétaient bien le fait que chacun essayait d'étayer sa position, en toute bonne foi. Les leaders étaient placés face au spectacle désolant résultant du choc des univers des experts. Et nul ne manquait de faits pour étayer sa thèse.

Si on prête seulement attention à la dynamique des débats de perception qui le jalonnent, un voyage au cœur de la communication ressemble à s'y méprendre à « la guerre des mondes ». Toutefois, cette dynamique traduit indirectement la façon dont se présente la quête du sens, la recherche d'un sens au quotidien, cette recherche d'un ordre dans lequel chacun s'efforce de trouver sa place. En bref, il s'agit d'une bonne illustration du jeu dans lequel chacun affirme son identité dans ses relations avec les autres, par le biais de sa participation à la communication… Mais, de dire à juste titre les sceptiques, quel est l'intérêt de la chose?

Que cette affirmation de soi soit consciente ou non, peu importe. Le leader doit en comprendre le caractère paradoxal : la quête du sens débouche sur la quête d'une identité ! La dynamique de la communication nous révèle que nous existons dans un environnement dans lequel notre entourage contribue à donner un sens, une signification, une valeur à notre présence, à notre travail, à notre vie. Voilà pourquoi chacun tire la couverture à soi… Le paradoxe tient au fait que créer une équipe multidisciplinaire équivaut à faire passer le message suivant : aucun des experts ne détient à lui seul la bonne réponse à toutes les questions, et le cadre de référence de chacun doit s'enrichir au contact des autres. Pour reprendre la métaphore de l'orchestre, le premier violon, si subtil soit-il, ne peut prétendre être l'orchestre à lui seul ! Le fait que chacun ait son propre carnet, voilà l'obstacle ! Exercer un leadership mobilisateur consiste à créer un carnet partagé qui permette à chacun de trouver sa place et replace les expertises particulières dans un nouveau contexte.

Nettoyer les carnets

Si les petits carnets personnels sont une source d'affrontements improductifs, ils peuvent aussi servir à désamorcer les crises qui résultent des divergences d'opinions. On en trouve de nombreuses illustrations dans les rapports intergénérationnels, et l'enjeu est surtout très actuel. Qu'on songe, par exemple, aux départs à la retraite massifs qui affecteront le réseau de la santé au cours des dix prochaines années. Les dirigeants du réseau de la santé s'inquiètent à juste titre : ces départs laissent présager une grave perte d'expertise. Le fait qu'on embauche de nouvelles personnes pour y remédier ne garantit pas un bon passage de relais entre les anciens et les nouveaux. Au contraire, puisque les recrues débutent dans le métier, les dirigeants affirment que la mémoire de l'organisation est en train de disparaître, que l'heure est grave. Voilà le bel accueil réservé aux recrues !

Face à cet enjeu, il est naturel d'espérer que les plus expérimentés légueront leur expérience aux plus jeunes. L'onde de choc tant redoutée en serait atténuée. Mais les relations intergénérationnelles ne sont pas réputées pour offrir le contexte le plus favorable à de telles pratiques. Certains redoutent même qu'un affrontement ait lieu. Ils appréhendent cette arrivée massive de jeunes qui regarderaient les anciens d'un mauvais œil, les considéreraient comme des personnes dépassées qui devraient céder leur place au plus vite. Et les craintes ne s'arrêtent pas là !

Inversement, l'attitude des plus expérimentés pourrait amener les plus jeunes à se braquer. Taxer ces derniers de vouloir tout changer sans comprendre pourquoi les choses sont ce qu'elles sont pourrait mettre le feu aux poudres. Bref, on craint que ces deux groupes s'entendent comme chien et chat. Les difficultés ainsi anticipées ne sont pas sans rappeler les rapports entre adolescents et parents… Si chacun refuse de démordre de ses certitudes et s'en tient à des réactions stéréotypées, le problème se présentera sous sa forme la plus complète. Se fermer à la différence de l'autre revient en quelque sorte à ne regarder que son petit carnet, à rester confiné dans la représentation du monde qu'on s'est construite au fil des expériences. Ces petits carnets peuvent avoir des effets considérables car ils contiennent l'identité personnelle, l'image que l'individu se fait de lui-même.

L'identité d'un individu est le résultat d'un ensemble d'images qui se chevauchent : l'impression qu'il a de lui-même, celle qui lui est reflétée par son entourage, ses aspirations, les attentes des autres à son endroit, tout cela entre en jeu… En quelques mots, la quête du sens recoupe une quête d'identité personnelle, sociale et professionnelle. Ces images de soi naissent des expériences vécues : l'individu se définit à travers ses relations avec les autres. Voilà pourquoi les changements pénètrent si profondément en chacun, ils ébranlent ce dernier rempart que constitue l'identité personnelle.

Le leader qui pilote le changement en conclut que la communication est le lieu privilégié où se déroule cette quête d'identité. L'importance du phénomène saute aux yeux : beaucoup d'individus se définissent par le rôle qu'ils occupent dans leur profession ! Lorsqu'on introduit des changements, on touche par conséquent au processus de définition de soi, ce qui constitue automatiquement une situation à risques. « Être ou ne pas être », pour reprendre la fameuse tirade de Shakespeare. Voilà pourquoi le violoniste s'en prend parfois au pianiste… pour affirmer son identité. Quand les changements touchent les rôles, ils remettent en question l'identité professionnelle, ils débouchent sur une révision du contenu du carnet sur lequel repose cette identité.

Dans la société nord-américaine, l'identité personnelle se confond de plus en plus avec l'identité professionnelle : on est ce qu'on fait. Qu'il soit médecin, avocat ou plombier, l'individu s'identifie à sa profession. Si on touche aux frontières de cette profession, cela provoque une perte d'identité, un déséquilibre bien plus marqué que ne l'imaginent les managers orthodoxes. La crise existentielle que traversent les personnes mal préparées à la retraite en témoigne. Nettoyer les petits carnets est donc une opération bien plus délicate que ce qu'on pouvait escompter au premier abord. Faut-il s'étonner si les changements préconisés donnent parfois l'impression de se solder par une guerre des mondes ? Certains prennent le maquis, et pour cause : leur identité est à leurs yeux directement remise en question. Changer l'organisation signifie dès lors changer les personnes.

Face à cette dynamique, l'erreur la plus courante est de croire qu'il existe des problèmes de communication, et qu'ils résultent de relations interprofessionnelles ou intergénérationnelles moins simples et moins harmonieuses qu'on ne l'espérait. Cette erreur prend toute son ampleur quand, en se fondant sur les symptômes observés, on conclut par ignorance à des problèmes de communication organisationnelle. Dans le cadre d'une organisation, il est naturel d'espérer améliorer les choses grâce à une meilleure transmission de l'information ou à une explication plus claire des rôles respectifs qui seraient confiés à chacun. Mais quand c'est l'incompréhension qui amène à adopter ces solutions, des aspects inattendus surgissent soudain, qui viennent brouiller davantage encore les pistes : en effet, le problème est alors défini dans un contexte inapproprié.

À chacun son carnet, à chacun ses conclusions !

L'observateur qui, dans le but de sortir de l'ornière, fait le lien entre les effets de la perception et ceux de la quête de l'identité découvre un phénomène sidérant pour monsieur Tout le monde : la même séquence de faits ne conduit pas toujours aux mêmes conclusions ! L'expression « bâtisseurs de réalité » prend alors toute sa signification. Une secrétaire peut ainsi percevoir son patron comme un tortionnaire qui lui refile ses urgences mal gérées, alors qu'il voit en elle une planche de salut, car il se sent totalement impuissant face à son ordinateur... Il en va de même dans les relations interprofessionnelles : chacun a son carnet, son cadre de référence, son interprétation des faits.

L'observateur en tire la conclusion que chacun invente le monde à partir de sa perception, que chacun consigne les effets qu'il constate dans son petit carnet, comme autant de certitudes. Vu sous cet angle, chacun crée ainsi l'organisation pour laquelle il travaille, chacun invente son emploi dans l'organisation. Il n'est donc guère surprenant que l'individu soit rapidement convaincu que les autres doivent s'ajuster à lui, à son rôle tel qu'il le définit. Et comme tous agissent ainsi, il en résulte une impasse. Pour le leader, le problème est la solution...

Assiste-t-on vraiment à un affrontement interpersonnel, dans lequel chacun essaie d'imposer sa réalité, ou a-t-on plutôt affaire aux manifestations élémentaires de la quête du sens menée par chacun ? Telle est la question. Au pire, il y a là des symptômes révélateurs des modalités de négociation d'une réalité partagée, d'un repositionnement des identités. Opter pour l'hypothèse des symptômes change la perspective. Les signes se présentent alors comme autant de phares destinés à guider un navire… Autant dire que tout dépend de l'angle sous lequel on choisit d'aborder les choses. Le verre est-il à moitié plein ou à moitié vide?

Un problème existe parce que quelqu'un le pose… et la manière de résoudre ce problème dépend largement de la façon dont il est défini. Adopter l'hypothèse des symptômes permet au leader de se donner des marges de manœuvre: au lieu d'arbitrer entre les vérités contradictoires et les visions multiples contenues dans les petits carnets de chacun, il passe à l'arbitrage des effets de son action. Ce faisant, il découvre l'univers de l'influence: un univers régi par des règles du jeu qui transforment le sens de ses comportements et, partant, l'approche qu'il suit pour relever le défi engendré par le choc des réalités.

Selon le regard de l'observateur, la communication peut ouvrir sur trois mondes très différents. La communication peut en effet être une action, une interaction ou un état. Chacun de ces mondes constitue un univers distinct obéissant à des règles précises. Et comme chacun a son petit carnet, il se trouve toujours quelqu'un pour soutenir que chacun de ces mondes existe. Par conséquent, ils existent bel et bien simultanément… On peut très bien soutenir que ces trois univers sont incompatibles, l'idée est aussi défendable qu'erronée. À la vérité, chacun est au service de fins particulières, et l'erreur consiste à vouloir tout ramener à un seul de ces trois univers. En un mot, la première étape menant vers une intervention structurée consiste à situer dans le bon univers le défi auquel on fait face.

Le premier univers est celui de la performance de l'*émetteur*, celui du *message clair*. Dans cet univers, les difficultés tiennent surtout à la construction du message, à la maîtrise du code utilisé et au choix du réseau; on doit ici faire particulièrement attention à tout ce qui peut parasiter le message. Le deuxième univers renvoie à la performance du *récepteur*, au *message compris*. C'est dans ce deuxième univers qu'a lieu l'interprétation du message, qui met en jeu les petits carnets, la quête du sens et la réalité personnelle construite par chacun. Quant au troisième univers, il concerne les attentes, les espoirs: c'est l'univers du «message dont on espère qu'il produira un effet sur l'autre» ou, autrement dit, du «message d'influence».

Le violoniste qui s'en prend au pianiste dans l'espoir de le rallier à sa vision des choses envoie à ce dernier un message d'influence. C'est ce message d'influence qui est le plus pertinent dès lors qu'on aborde les questions liées à l'exercice d'un leadership mobilisateur. Dans ce troisième univers radicalement différent des deux premiers, les intentions sont au premier plan et les effets du message sont les bouées qui guident le pilote. Le message en tant que tel n'est pas sans importance, l'interprétation qui en est donnée doit faire l'objet d'une attention particulière, mais l'essentiel réside dans l'écart qui peut exister entre les intentions et les effets.

Le désir d'influence est au cœur des préoccupations du leader qui favorise le dialogue avec ses partenaires dans l'espoir de créer un carnet partagé, de construire une communauté d'esprit. Le rôle de ce leader ne se limite pas à « parler pour parler » en vue de créer un climat de confiance ou simplement d'être compris ou d'être clair. Au contraire, si le leader est le porteur de la vision, il s'engage dans la communication dans le but de mobiliser des intelligences. Quelles que soient les expressions utilisées, « rechercher la synergie », « concilier les expertises » ou « gérer les compétences », l'intention est la même ! Le leader parvient-il à créer ce fameux carnet partagé ? Telle est la question, car tel est le résultat visé.

Chaque univers de la communication a son utilité et sa portée, mais il a aussi ses limites. Le premier est pertinent lorsque l'information est transmise à travers des technologies qui s'accommodent mal des émotions humaines ou lorsqu'un écrivain remet cent fois son ouvrage sur le métier dans l'espoir de livrer un message clair au lecteur. Mais cet univers est aussi celui de la solitude, comme si la communication reposait sur les épaules d'un seul...

Comme l'écrivait Boileau, « ce qui se conçoit bien s'énonce clairement, et les mots pour le dire arrivent aisément ». Ce premier univers correspond très bien à cette exigence et aux efforts immenses déployés pour produire des messages clairs. À certains égards, l'effort consistant à clarifier sa pensée et à la rendre dans les termes les plus justes est au centre de cet univers. Mais dès qu'un interlocuteur entre en jeu, il arrive ses lunettes sur le nez et son carnet à la main. Immanquablement, il se livre à une interprétation. Et s'il y a interprétation, il y a nécessairement construction d'un sens par l'interlocuteur… Ce n'est pas dans ce premier univers que le leader trouvera des réponses à toutes ses questions, même s'il doit le considérer comme important.

Le phénomène des petits carnets rappelle combien l'interlocuteur à qui on s'adresse est loin d'être passif et à quel point, malgré les efforts, il conserve son autonomie. Les questions qui gravitent autour de l'interprétation du message relèvent du deuxième univers. En un mot, elles tiennent à la distance qui sépare la lecture de l'écriture, le message clair du message entendu. La communication est alors perçue comme une interaction dont l'objectif final serait une totale compréhension mutuelle. Cet univers est pertinent pour le leader : la quête du sens se déroule avec en toile de fond l'interprétation, la construction d'un sens, le pouvoir de l'auditoire sur le message. Le message gravite donc autour de l'auditoire, contrepartie directe de l'orateur… Mais cet univers n'offre pas au leader toutes les clés dont il a besoin pour accomplir sa tâche, il lui permet seulement de cerner pourquoi l'auditoire se présente comme un défi, mais ne lui offre aucune emprise sur l'auditoire.

Remarquons au passage que la communication de masse, la publicité et le marketing reposent sur cette vision dans laquelle l'auditoire est privilégié et la communication est comme un balancier passant d'une personne à l'autre, de l'émetteur au récepteur, vers la compréhension mutuelle. Quelques nuances s'imposent pour saisir l'importance stratégique du troisième univers, car c'est celui qui permet au leader d'avoir une emprise sur le message. Que la logique analytique incite à dissocier ces trois univers pour mieux les cerner masque l'essentiel : au quotidien, ils sont intimement reliés.

Nombre d'entreprises tentent de vendre des produits à coup de publicités tellement martelées à travers les médias que certains en viennent à les connaître par cœur. La métaphore est séduisante pour le leader néophyte qui imagine pouvoir s'en inspirer pour arriver à ses fins. Cependant, elle occulte un aspect fondamental : la communication va largement au-delà du langage verbal, elle inclut le non-verbal, la relation qui se noue entre les personnes et même le contexte dans lequel s'inscrivent les comportements… Il est très révélateur que les gens « zappent » les publicités télévisées. Lorsqu'on se sent envahi par la publicité, zapper équivaut à se rebiffer… Irrités d'être ainsi harcelés au milieu d'une émission captivante, les gens protestent contre le parasite. Et ce message clair imposé à l'auditoire est écarté d'un seul doigt… Les publicitaires espèrent obtenir un effet qui relève du troisième univers, mais leur acharnement conduit les téléspectateurs à refuser d'en entendre davantage !

L'anecdote suivante montre bien les limites auxquelles on se heurte dans les deux premiers univers lorsqu'on cherche à exercer une influence. Elle traduit à quel point la communication déborde les frontières du message clair et de la compréhension mutuelle pour inclure des aspects qui couvrent même le quotidien de celui qui paraît être un simple spectateur des événements[5]. Elle nous rappelle, par la même occasion, que nous sommes tous constamment dans la marmite de la communication.

La situation met en présence un homme dans la trentaine et un enfant de vingt mois à peine. La scène se déroule dans la salle d'attente d'une clinique. L'homme joue avec ses clés et les fait tinter. L'enfant s'intéresse à ce manège et s'approche pour saisir l'objet qui l'intrigue, du moins en apparence.

Amusé par la curiosité de l'enfant, l'adulte attire celui-ci en continuant à jouer avec ses clés, mais dès que l'enfant parvient à portée de mains des clés, il les éloigne brusquement, laissant l'autre pantois. Sans se décourager, l'enfant tente à plusieurs reprises d'arriver à ses fins, mais toujours sans succès. À travers ce jeu, l'adulte semble dire : « tu les veux, viens les prendre », mais plus encore : « tu es à ma merci, ta satisfaction dépend de mon bon vouloir ». Il y a donc là également une nette relation de dépendance, dont l'adulte semble outrageusement tirer avantage.

Au moment où la mère de l'enfant commence à être agacée par le comportement de cet étranger, qui à ses yeux abuse de la situation, l'enfant modifie ses allées et venues. Il s'approche de sa mère, se penche

---

5. D'autres aspects de cette anecdote sont traités dans le chapitre 3 de *La communication interpersonnelle et organisationnelle : l'effet Palo Alto*, de Dionne et Ouellet (1990).

sur son sac à main et, l'air triomphant, en tire deux trousseaux de clés qu'il se met à agiter en regardant celui qui l'a fait marcher pendant quelques minutes. Éclat de rire général dans la salle d'attente : l'enfant vient de mettre fin au jeu, à son avantage. Inutile d'insister sur la fierté de la mère qui admire la présence d'esprit de son enfant ou encore de décrire la mine déconfite de l'adulte battu à son propre jeu !

Cette anecdote savoureuse montre que le comportement est un message dont le contrôle échappe à l'émetteur et que le langage parlé n'est pas essentiel à la communication. Il y avait là une dizaine de témoins, et c'est à travers une cascade de rires à peine étouffés qu'ils exprimèrent à celui qui paraissait être le meneur du jeu le plaisir que leur procurait le dénouement. Tout cela, sans qu'un seul mot soit échangé. Voilà qui devrait nous rappeler à quel point nous réduisons la communication à peu de chose quand nous la définissons dans les termes du premier ou du deuxième univers. Nous sommes toujours dans la marmite.

L'intérêt de cette anecdote réside dans le jeu des intentions et surtout dans les effets que la situation a produits sur ceux qui en étaient les spectateurs : leurs réactions ont créé une signification, une interprétation de la situation prise dans son ensemble ! Pour le leader qui se préoccupe de mobiliser ses partenaires, cette anecdote démontre l'importance qu'il y a à mesurer les impacts de ses gestes, à gérer ses effets : l'intention est au plan ce que les effets sont aux impacts de son intervention ! Le troisième univers répond à des règles très différentes.

Très peu de leaders sont sensibles à ces nuances et la plupart passent d'un univers à l'autre sans trop s'en rendre compte, avec des espoirs qui sont parfois totalement démesurés ou qui, à tout le moins, ne dépendent pas de leur volonté et de leur action directe. Trois univers, trois réalités, il y a de quoi jeter les mieux intentionnés dans la confusion. Heureusement, la dynamique de chaque univers jette subitement la lumière sur la distance qui sépare l'intention et l'effet obtenu. Une question surgit, qui remet l'enjeu en perspective : peut-on vouloir à la place de l'autre ? Car tel est l'envers du décor : l'enjeu de la mobilisation renvoie directement au pôle *volonté*, à la question de l'engagement personnel de chacun.

Et voilà le drame : l'enfer c'est les autres. Malheureusement pour l'autre, l'autre c'est nous, on est toujours l'autre de quelqu'un ! Telle est la conclusion tirée par les moins optimistes au moment où ils se rendent compte de l'ampleur du défi de la mobilisation. Et face à l'obstacle, bien des leaders renoncent ou se résignent. Ils reculent car la question semble être sans réponse. Or cette question a un lien direct avec l'idée même de la responsabilisation, avec la distance qui sépare la mobilisation de la motivation.

« Nous ne sommes pas à l'école maternelle ! » Voilà en quels termes les leaders traditionnels écartent du revers de la main un problème qu'ils abhorrent. Cette attitude les inscrit en faux contre l'évidence. L'individu est à la fois raison et émotion, refuser d'en prendre acte et nier la dimension émotive mène inévitablement dans l'impasse. En un mot, s'il nie cette dimension, le leader refuse une part de ses responsabilités, passe à côté de la quête du sens sans en éviter les effets.

Une tranche de vie

L'anecdote qui suit révèle comment la rationalité et l'émotivité s'entremêlent quand le défi du changement atteint les gens jusqu'au tréfonds, quand l'engagement personnel recadre la vision qu'un individu avait de son rôle dans l'organisation. Cette tranche de vie est inspirée d'une situation réelle et des discussions qui l'accompagnèrent, elle est fort représentative des règles de fonctionnement du troisième univers.

L'histoire se déroule dans une entreprise d'économie sociale qui offre à des jeunes un milieu d'accueil où ils font l'expérience du bénévolat et de ses exigences. Ces jeunes éprouvent de profondes difficultés d'adaptation et viennent souvent de milieux et de familles où les drames sont le lot du quotidien. Ils sont très perturbés sur le plan émotif, en révolte contre la société et en quête d'identité, un état qui explique en partie leurs comportements délinquants et leur passage dans un centre de jeunesse. C'est dans ce contexte qu'un bénévole fut amené à remettre profondément en question ses valeurs et ses attitudes. Voici en quels termes il décrit sa démarche et combien elle lui fut pénible. Nous rapportons l'essentiel de ses propos.

Je m'étais engagé dans un projet en apparence très ordinaire, mais qui a rapidement abouti à beaucoup de stress et à une remise en question profonde. J'avais décidé de donner un peu de mon temps, à titre de bénévole, à une petite entreprise d'économie sociale qui s'occupe de jeunes délinquants. L'expérience me paraissait noble et valorisante, je suis au départ quelqu'un de généreux. Aider des jeunes à se reprendre en main était un défi intéressant, et je croyais y être bien préparé.

Après quelques semaines, je n'en revenais toujours pas de découvrir combien ces jeunes étaient perturbés, et leurs gestes m'apparaissaient absurdes, quoique compréhensibles. Drogue, vol, fugue : la réaction me semblait démesurée. Je devais cependant admettre du même coup que, selon les moments, j'avais l'impression d'être avec des enfants ou avec de jeunes adultes, comme si leur personnalité changeait selon les circonstances. Quelques mois plus tard, ils me déconcertaient toujours : ils étaient à la fois adorables et détestables, capables de gentillesse mais aussi de la pire violence qui soit.

Progressivement, j'arrivais à les connaître mieux, je m'attachais même à eux. Pourtant, même si j'étais heureux de les revoir, chaque rencontre me rappelait combien il m'aurait été pénible d'être leur parent. J'en venais à me demander comment je réagirais si l'un d'eux entrait soudain dans le cercle d'amis de mes enfants… Le doute me hantait. Qui aurait le dessus et qui entraînerait l'autre dans son sillage ? La réponse n'avait rien d'évident. J'étais loin de me douter de ce qui m'attendait ! Aujourd'hui, je dirais que mon expérience se résume à des choix auxquels je n'étais pas préparé.

Je les aime bien, ces jeunes, mais ils m'inquiètent. Je suis d'accord pour leur donner du temps, mais pas tout mon temps. Sur le plan émotif, ils m'épuisent. Pour dire la vérité, la relation est confuse : je les aime mais je les déteste en même temps ! Rien chez eux ne me laisse indifférent. Je dois leur faire confiance, c'est mon rôle de bénévole, mais je crains de me faire avoir, d'être floué. Je rentre à la maison épuisé. Passer trois heures avec eux exige autant d'énergie qu'une semaine de travail. Mais je continue, j'y retourne chaque semaine. La chose est difficile à expliquer, mais même à travers leurs réactions agressives ils paraissent apprécier ma présence. Malgré mes sautes d'impatience et mes tendances autoritaires, ils trouvent en moi quelque chose de bon qui leur manque. Et à ma grande surprise, l'intervenant qui les supervise me répète de rester moi-même avec eux. Il m'y encourage, dit que mes réactions leur sont salutaires.

Pour ma part, quand je me mets en colère, j'ai le sentiment d'échouer. Je constate leur grand besoin d'affection et d'amour, de compréhension, mais mes réactions contredisent mes intentions quand surviennent des affrontements. Mes colères les bousculent, mais est-ce en bien ou en mal, je l'ignore. Mon seul constat : leurs parents doivent se sentir aussi démunis et déboussolés que moi ! Il me vient à l'esprit que, comme moi, ils doivent les aimer et les détester à la fois…

Plus encore, j'en arrive à douter de leurs parents : sont-ils capables d'assumer leur rôle, de leur dire non pour leur bien ? Ont-ils des difficultés à faire ce que l'intervenant leur recommande ? S'ils ne remplissent pas leur rôle, cela doit être déchirant pour eux car ils nuisent au travail de l'intervenant ! Il ne peut plus vraiment aider leur jeune. Et si, au contraire, ils arrivent à dire non, ils doivent souffrir intérieurement parce que tout le monde aime ses enfants même s'ils sont imparfaits…

Et les intervenants doivent être conscients du drame que vivent les parents. Ils doivent se douter qu'ils devront travailler longtemps avant d'obtenir des résultats. Ils ne sont pas les seuls à intervenir. Ils se demandent peut-être parfois si ça vaut la peine de se défoncer dans son travail si les autres ruinent tous leurs efforts !

Je crois qu'ils en sont conscients. Quand l'intervenant s'emporte, la confusion m'envahit. La semaine dernière, un jeune s'est fait vertement réprimander. J'étais très mal à l'aise, je désapprouvais l'attitude de l'intervenant. Je lui en ai fait part en tête-à-tête. L'intervenant m'a répondu calmement : « J'utilise le langage qu'ils comprennent. » Le pire, c'est qu'il avait vu juste : le jeune s'est immédiatement calmé. Pas moi, je ne m'en suis remis que plus tard. Si moi, un étranger, cet acte me trouble, je comprends que les parents doivent vivre la chose encore plus difficilement. Pas évidente, cette obligation de parler à son propre enfant dans le langage qu'il comprend.

Je retiens de l'incident que l'intervenant rééduque aussi les parents, les transforme. Et moi aussi. Du moins, quand il approuve mes colères, il me change… J'apprends à tout voir en blanc ou en noir. Pas de place pour le gris. Le comportement du jeune est correct ou pas. Comme les jeunes, j'apprends à reconnaître ma gauche de ma droite. Et les jeunes semblent en avoir besoin, autant que les parents ou moi !

Même si ce constat me dérange, je dois reconnaître que les interventions portent leurs fruits, du moins si l'intervenant tient bon. Alors, moi aussi, je tiens bon face aux jeunes. Ils savent à quoi s'en tenir. Je m'y fais, ils ont besoin de rigueur. Quand les parents réagissent mollement, ils causent du tort à leurs enfants. J'ai appris à aborder les choses ainsi et j'en retire plus de satisfaction : je sers à quelque chose, je ne suis pas un obstacle. Mais mon histoire ne s'arrête pas là : la suite tient plus encore de l'affrontement…

Un lundi comme les autres, une amie de mes filles est entrée dans le groupe… Problèmes de drogue, de vol, de fugue, tout y était. Le père s'est réveillé en moi, et le bénévole était bouleversé. J'ai eu peur… Mes filles risquent-elles de se laisser entraîner ? Je dis que j'ai confiance en elles, qu'elles sont responsables, mais… Est-ce que je vais leur demander de couper tous les liens avec leur amie pour éviter de les exposer ? Si j'opte pour cette solution, je coupe la jeune en difficulté d'un milieu sain. Si tout le monde fait la même chose, quelle chance aura-t-elle de s'en sortir ? Elle se retrouvera uniquement entourée de jeunes à problèmes. Je me sens pris au piège !

Je n'ai pas le choix. Je dois faire confiance à mes filles. Autrement, je devrais abandonner mon activité de bénévole, les jeunes ne voudraient plus me voir ! Il reste donc à relever le défi, à laisser la jeune fille à problèmes revenir chez moi. Mais je devrai la traiter comme les autres si je veux qu'elle se sente comme les autres : la bienvenue. Pour conserver ce droit, elle devra éviter la pagaille. Sinon, je devrai la traiter chez moi comme ici : « gauche-droite ». Difficile de rester fidèle à ses convictions quand ses propres enfants sont en jeu !

Les méandres de la quête du sens

Cette tranche de vie fournit des pistes intéressantes. Tout en étant située dans un contexte très particulier, elle suit la même dynamique que celle qui pousse les leaders les plus orthodoxes à opposer raison et émotion. Toutefois, il est facile de constater à quel point cette opposition rend bien mal compte des méandres de la quête du sens. Notre bénévole a traversé des états d'âme, est passé par des raisonnements qui, à ses yeux, appartiennent au même registre. Ce voyage insolite montre bien comment les individus peuvent être ballottés par le changement et à quel point raison et émotion sont indissociables.

Annoncer un changement équivaut à inviter ses partenaires à se regrouper autour d'un projet, d'une mission particulière. Quels que soient la clarté du message et le soin apporté à le peaufiner, tous n'adhèrent pas automatiquement à une interprétation identique. Le rôle actif du *récepteur* crée des différences, et les comportements ne s'ajustent pas miraculeusement! Il y a interprétation, construction de sens. Il en résulte des perspectives d'adaptation qui ne devraient pas surprendre : chacun a son petit carnet, les différences sont donc naturelles. Mais, rappelons-le, la perception n'est pas une maladie.

Quand apparaissent ces écarts entre la vision du leader et les interprétation auxquelles elle donne lieu, malgré la bonne volonté manifestée de part et d'autre, la roue du changement est en marche. Ces écarts créent de la tension entre les groupes. Et bientôt s'entrechoquent toutes sortes d'interprétations sur le sens du quotidien et sur la signification des comportements des uns et des autres. Alors, certains se sentent mal compris, estiment ne pas être respectés ou soupçonnent qu'on essaie uniquement de leur imposer une volonté qui n'est pas la leur... Bref, c'est l'affrontement du violon et du piano.

En un éclair, on quitte alors l'univers de la transmission de l'information, symbolisé par le projet, pour passer dans l'univers de la compréhension mutuelle, où l'objectif est de s'entendre, pour faire finalement irruption dans l'univers des effets de la communication, de la «communication-état», l'univers privilégié des tentatives d'influence et de la négociation d'une réalité partagée. La boucle est bouclée.

Or, la question du message se pose. Le message est clair pour celui qui le reçoit dans le cadre de référence approprié, le bon carnet à la main... Mais, si le cadre de référence diffère d'un individu à l'autre, le message se traduit par la tension et les stress liés à la quête du sens. Autant dire que les messages clairs s'usent, malgré toute l'énergie dépensée pour éviter les ambiguïtés. Ils perdent de leur signification en changeant d'univers. La compréhension attendue s'effrite en raison du jeu des acteurs, elle échappe au contrôle du leader qui refuse de changer d'univers... Ce dernier doit au contraire s'aventurer sur un autre territoire que le sien, il doit suivre ses partenaires à la trace. Le seul univers commun aux uns et aux autres est l'univers de l'influence.

L'univers de l'influence : la gestion du sens

En quoi est-il utile de comprendre la dynamique qui relie les trois univers de la communication? Pour quelles raisons le leader a-t-il intérêt à comprendre qu'il est illusoire de croire qu'il peut contrôler la portée de ses messages ? La construction de la réalité personnelle et la tendance des rapports humains à s'écarter des croyances qui guident l'action du manager traditionnel sont des phénomènes complexes et subtils. Et toutes ces subtilités influencent le rôle que le leader doit jouer au quotidien et son approche de la quête du sens... L'organisation n'a jamais de problèmes de communication ! Le mythe est détruit. L'organisation *signifie*, mais elle n'est pas la signification.

L'organisation s'incarne dans et à travers les gens qui la créent. Ils sont l'organisation. Par abus de langage, nous attribuons à l'organisation une existence propre, pour en conclure qu'elle *éprouve* des difficultés. Or, ces difficultés ne sont pas les siennes, ce sont les nôtres !

Affirmer que l'organisation *éprouve* des problèmes de communication, *souffre* d'un mauvais climat de travail ou *pâtit* du manque de motivation de ses employés, affirmer cela n'a aucun sens. C'est un abus de langage... auquel le leader moderne serait bien malavisé de s'adonner ! Conscient du risque qu'il courrait en se soumettant à un mythe qui le priverait de ses moyens, il redéfinit toute la question en se plaçant sur le territoire des rapports humains, avec en arrière-plan la quête du sens qui reflète le choc des réalités personnelles.

Jamais l'organisation ne se plaint d'être mal comprise. Aux yeux du leader, il y a toujours un porteur du message : évoquer un problème de communication dans l'organisation revient à exprimer la façon dont ses partenaires vivent leur contexte de travail ! Le leader ne se laisse pas mystifier par la métaphore, il reconnaît dans ces propos des situations dans lesquelles ses partenaires sont profondément engagés et personnellement impliqués. Derrière ces artifices de langage, qui laissent croire que les situations sont totalement étrangères aux personnes qui les déplorent ou qui s'en déclarent victimes, le leader perçoit des situations fort révélatrices des rapports humains qui en constituent la toile de fond.

Si le but recherché est de mobiliser les intelligences, il faut abandonner l'idée que l'organisation a une existence propre pour redonner tout son sens à l'exercice du leadership. Si le climat qui règne dans l'organisation est le fait des hommes, l'intervention doit alors être ciblée sur les hommes. Personne n'a jamais croisé le climat organisationnel au coin de la rue ou ailleurs… En revanche, on rencontre très souvent des personnes qui se plaignent ou se réjouissent de ce climat organisationnel! Concentrer son action sur la personne évite de confondre le menu et le repas…

Le leader mobilise d'abord et avant tout les hommes

La métaphore des lunettes et des carnets traduit le sens profond de l'expression «bâtisseurs de réalité» et rend compte d'une dynamique fondamentale. Bien installé dans sa profession, dans son poste et dans son rôle, chacun construit progressivement, au fil du temps, son point de vue sur son vécu dans l'organisation. La dynamique amène rapidement à la conviction que cette vision est légitime, débouchant ainsi de la sorte sur un labyrinthe de certitudes. Pour l'individu, cette réalité devient *la* réalité, celle à laquelle tous devraient croire et adhérer.

Il n'est pas question de remettre en cause la bonne foi de chacun lorsqu'on relève le défi de la mobilisation qui résulte de ce phénomène. Quand vient le moment de passer à l'action, seuls comptent les effets de ce phénomène. Voilà pourquoi les managers orthodoxes sont en difficulté. Si leurs actions sont autant de coups d'épée dans l'eau, c'est parce qu'ils s'attaquent à un fantôme, au pâle reflet des rapports humains auquel ils donnent le nom d'«organisation». Ils combattent des «interprétations déviantes» à coup de «messages clairs»… Ils livrent leur bataille sur le mauvais terrain.

Les vérités que chacun consigne dans son petit carnet sont déformées par un effet de perception et, à la longue, l'effet cumulatif de ces certitudes altère la netteté avec laquelle chacun perçoit son environnement. Ces lunettes de plus en plus déformantes sont à l'origine du jugement qu'on porte sur l'organisation et sa direction, sur ses collègues et même sur soi-même. La construction de différentes visions du monde résulte de ce processus, auquel les leaders doivent faire face. La connaissance de cette dynamique ne les réduit pas à l'impuissance, mais leur révèle au contraire comment se noue l'écheveau de la révolte, comment le premier violon en vient à se dresser contre l'orchestre. Mobiliser les hommes suppose d'accorder les violons et aussi de rassembler tous les instruments autour de l'œuvre à interpréter.

À la lumière de la dimension humaine du défi du leadership, on peut préciser le sens de la métaphore de l'orchestre. Lors du concert, les cuivres et les violons ne s'affrontent pas : ils prennent toute leur place, à l'avant-scène, au moment opportun, lorsque le chef les invite à le faire. Les autres instruments les accompagnent comme il sied. Si par mégarde quelqu'un fait un faux pas, il s'en rend compte aussitôt… Le travail d'encadrement du chef est constant, certes, mais chacun est conscient de son rôle et de son apport. Cette conscience collective, qui préside à l'interprétation de l'œuvre, fait cruellement défaut quand le leader néglige son rôle de porteur du sens.

L'importance que revêt le petit carnet partagé correspond bien à l'idée que l'orchestre doit avoir une conscience collective. Cette image permet de comprendre les affrontements interpersonnels comme les manifestations d'un désir d'affirmer son individualité, son identité en tant que membre de l'orchestre. Cette peur de tomber dans l'anonymat et de ne pas être reconnu pour sa contribution explique en partie que les gens d'expérience accusent les plus jeunes d'irrespect lorsqu'ils contestent leur vision. En affirmant que les plus jeunes ne comprennent que superficiellement leur rôle d'anciens, les gens d'expérience les accusent d'avoir un comportement erratique. On ne peut porter un tel jugement que si on a, au fil du temps, accumulé des preuves pour étayer sa propre réalité, sa vérité.

À l'inverse, quand le petit nouveau attaque à la hache l'interprétation du vieux loup, il affirme sa différence, son besoin de voir son identité reconnue. Chacun tente alors de négocier avec l'autre pour qu'il lui reconnaisse un territoire propre. Et comme ce réflexe est fort naturel, une fois entré dans le labyrinthe des certitudes, la perception aidant, chacun découvre facilement les signes qui confirment ses impressions. La plupart du temps, les managers orthodoxes se font alors prendre au piège.

Le piège consiste à interpréter cette négociation comme traduisant un problème de communication ou à l'assimiler à un symptôme d'un mauvais climat de travail. Pourtant, il s'agit alors de tout sauf d'une communication déficiente, que ce soit entre les individus, entre les équipes, entre la direction et les employés, ou encore entre les générations. On est aux premières loges des turbulences qui accompagnent tout changement : ce sont les signes qu'un nouvel équilibre se négocie.

Déclarer que l'organisation est atteinte du virus intergénérationnel ou d'une laryngite de la communication amènerait à perdre de vue que les personnes sont à la fois des virus et des anticorps dans l'organisme ! La quête d'une identité et la quête du sens vont de pair, elles sont interdépendantes. Et dans le troisième univers de la communication, les affrontements qui marquent cette marche vers un nouvel équilibre ne sont a priori pas des problèmes, contrairement à ce qu'on pourrait croire en s'en tenant au premier ou au deuxième univers… Les voir comme des problèmes, c'est s'exposer à un piège.

Pris au piège, les managers orthodoxes entreprennent un long pèlerinage en guise de réponse aux affrontements. Leur réflexe est de présenter le projet d'entreprise comme le cœur du débat, alors qu'il n'en est que la toile de fond, le prétexte idéal pour mener un tout autre débat. Ils se mettent ainsi hors du coup. Ils créent un paradoxe en déplaçant le débat. Le glissement de perspective est fréquent.

Dans les entreprises de production de biens, c'est souvent entre les vendeurs et les gens de la production que le conflit éclate. La négociation portant sur la position hiérarchique qui doit être accordée aux uns et aux autres se traduit par de longs débats. Les gens de la production reprochent aux vendeurs de ne pas tenir compte de la capacité de production. À l'inverse, les vendeurs blâment les gens de la production de ne pas s'organiser pour satisfaire la demande. Chacun accuse l'autre de lui porter préjudice. Chacun impose les règles de son univers en guise d'argument décisif et de vérité objective. L'autre n'aurait d'autre choix que de se soumettre. Mais conclure à un problème de communication serait absurde ! Au contraire, tout concourt à démontrer qu'on est en présence d'un affrontement explicite. Et comme les managers orthodoxes définissent ces affrontements comme des problèmes organisationnels, ils perdent le contrôle de la situation.

Quand les tensions explosent, les dirigeants crient « au secours » ! C'est alors qu'interviennent des consultants, que les dirigeants assimilent à de grands magiciens. Ces derniers ont tôt fait de réunir les responsables de la vente et de la production et de les mettre face à face pour les impliquer dans la discussion. L'habileté consiste à les associer à la décision, à la solution du problème. En forçant ainsi la main à chacun, les magiciens obligent chacun à se réapproprier son pouvoir d'agir. Et ils y parviennent en ramenant chacun à son rôle d'acteur et lui en interdisant celui de victime. Leur auréole de magicien leur vient de cette habileté à orienter le dialogue des équipes vers la question pertinente. Le fruit de cette démarche est la création d'une nouvelle réalité partagée, d'une réalité dans laquelle sont précisés les rôles de chacun et la nature de la collaboration nécessaire. En un mot, nos magiciens mettent à profit la conscience collective et valorisent les « bâtisseurs de sens », au lieu de plaindre de soi-disant victimes ou de trouver des coupables.

La stratégie de ces magiciens permet au groupe de sortir du cul-de-sac où il s'était engagé en acceptant la définition du problème formulé par les parties antagonistes. Cela revient à faire du « problème » initial le point de départ d'un autre débat, celui de la négociation des rôles, et à exploiter l'interdépendance de ces rôles. Les arguments des parties sont ainsi recadrés pour étayer la nécessité du changement, et ils peuvent dès lors servir à promouvoir ce changement. C'est le judo de la consultation : les magiciens utilisent à leurs fins la force des différents opposants. Pour ces magiciens, communiquer davantage n'équivaut pas à communiquer mieux. Leur leitmotiv est : « Communiquez sur le bon thème ». L'effet de ce changement de perspective est tout à leur avantage.

L'astuce des consultants est à la portée du leader. Elle consiste à bloquer des comportements improductifs tels que la tendance consistant à accuser quelqu'un dès que les choses vont mal. Par intuition ou par expérience, les leaders évitent de déclencher la guerre des mondes et de mettre en branle une dynamique d'affrontement entre des versions rivales qui ne déboucherait sur rien. Il est clair qu'ajouter de nouveaux arguments alimenterait la crise. Ils n'ont aucun intérêt à jeter de l'huile sur le feu, ils s'en abstiennent donc.

Personne n'apprécie d'être rabroué ou montré du doigt. Les mages de la consultation le savent fort bien. Aussi évitent-ils de désigner des coupables quand ils canalisent les énergies vers la recherche de solutions. Nul n'est sacrifié sur l'autel, ce qui reviendrait à tuer dans l'œuf toute solution. Condamner un individu dans le feu de l'action équivaut à l'immoler, et cette condamnation est vécue comme un rejet. Les personnes qui en sont victimes éprouvent une amertume des plus légitimes, et il est ensuite très difficile, voire impossible de les mobiliser.

L'amertume est légitime car, dans un contexte professionnel, avoir tort devient vite synonyme d'incompétence aux yeux de l'entourage. Quand le leader se livre à une telle humiliation, inutile de préciser qu'il court à l'abîme. La seule issue est de recadrer la discussion, d'offrir à chacun un territoire sur lequel il peut avoir gain de cause. Ce territoire est celui de la solution partagée, qui est bâtie par les ex-protagonistes.

La mobilisation des intelligences en zone neutre

Orienter les compétences vers la construction d'une solution présente des avantages certains. C'est l'occasion de reconnaître les affrontements initiaux comme le signe de la volonté de tous de contribuer au règlement de la crise. Les arguments deviennent des gages de bonne foi et d'engagement, le leader leur donne un sens positif! Le caractère stérile de la situation d'affrontement disparaît. Il n'y a là aucune magie aux yeux de celui qui saisit l'astuce, mais un savoir-faire révélé au grand jour. Le troisième univers de la communication est riche de possibilités inexploitées et présente encore d'autres avantages.

Passer son temps à répéter un message dans l'espoir de le transformer en évidence est illusoire quand chacun l'interprète à la lumière de son petit carnet. Les leaders ont besoin d'autres repères pour influencer la dynamique de la quête du sens. Une brève incursion dans la nouvelle métaphore permet de constater que le troisième univers de la communication comporte quatre temps : je pense, je dialogue, j'agis et j'évalue[6]! Tel est son ordre, et la roue tourne à l'infini.

---

6. Dans *Le stratège du XXI siècle*, de Dionne et Roger (1997), ces quatre temps sont évoqués sous l'angle de leur contribution à la clarification du rôle de gardien de la cohérence interne de l'organisation. Le présent ouvrage les campe dans un contexte différent : la mobilisation des compétences.

On trouve ces quatre temps chaque fois qu'on analyse des relations interpersonnelles et des relations interprofessionnelles, et ils permettent même d'aborder l'organisation dans son ensemble en raison de la place centrale accordée à la personne. Les clés de la mobilisation sont là où les managers orthodoxes refusaient de les chercher !

Le message est à peine voilé. Pour éviter de se retrouver au centre du débat, ou de devenir le centre du débat, il est nécessaire de faire son deuil du mythe d'une organisation extérieure aux personnes. Le pari est de redonner de l'espace personnel à chacun, soi y compris. Ce choix rappelle que la mission essentielle de l'équipe de direction est de porter le message, de s'assurer qu'il est connu, compris, accepté et respecté par tous les musiciens de l'orchestre. Toutefois, dans le troisième univers de la communication, ce résultat dépend de la gestion des effets, et non de la façon dont on construit le message. Si les écarts d'interprétation sont naturels, ils deviennent le matériau de base de la construction du sens. Dans cette approche, toute l'attention porte sur la place que doivent occuper le violon et le piano dans l'orchestre. Autrement dit, tout repose sur l'art de les intégrer dans la symphonie, et non sur l'obligation de les rabrouer.

Dans le réseau de la santé et des services sociaux, les attaques les plus virulentes sont menées contre le fonctionnement en silo. L'intention est louable. La nécessité de « réseauter le réseau » dans le plus grand intérêt du bénéficiaire est reconnue, et cet objectif est à l'ordre du jour depuis fort longtemps déjà. Mais le diagnostic révèle que les différents instrumentistes jouent sans égard à l'œuvre qui est au programme. La situation renvoie les leaders à leur rôle de créateurs de sens. L'esprit humain ayant horreur du vide, chacun en est réduit à improviser sa partition. Le dialogue a disparu. La situation est donc bloquée au deuxième temps de la métaphore. Les conséquences sont évidentes : incohérence et cacophonie. Les initiatives sont remises en question et les résultats sont décevants. C'est la symphonie désordonnée !

Il importe de savoir comment on en est arrivé là, et non pourquoi on en est arrivé là… Les « pourquoi » ont déjà été évoqués. Administrateurs, infirmiers, employés, médecins ou syndicats, tous ont été sacrifiés tour à tour sur l'autel. Même l'État et ses ministres de la Santé et des Services sociaux y ont goûté de près... Les remous causés par les inquisitions successives ont parfois même contribué à dresser les uns contre les autres. Et les rapports des grands prêtres dorment paisiblement sur les tablettes, enfouis sous la poussière des ans... La valse des études, toutes plus savantes les unes que les autres, semble n'avoir séduit personne. De quoi inciter à la réflexion. Le problème est ailleurs. Qui pilote le passage de la guerre des mondes à la recherche de solutions?

Le ministre de la Santé en poste invite les médecins à prendre le leadership, à ne plus tolérer les attentes interminables dans les couloirs de l'urgence. Constatant qu'on est parvenu à réduire les délais à moins de quarante-huit heures dans certains hôpitaux, il ajoute que la culture des établissements doit changer. Le message est habile. Il permet de désigner des héros – les médecins – et un ennemi – la culture des établissements. Mais il aboutit toutefois à restaurer une mainmise dont les cadres, entre autres, se plaignent en sourdine. Quel sera l'effet de l'initiative? Verra-t-on resurgir Don Quichotte? Seul le temps le dira. Mais la stratégie présente des éléments intéressants.

Tout d'abord, l'appel lancé aux médecins oriente l'attention sur les personnes. Les médecins sont campés dans le rôle d'alliés désignés pour affirmer les priorités: le patient avant tout, quitte à remettre en cause les pratiques et les habitudes. Et comme la culture des établissements est l'ennemi déclaré, aucun coupable n'est montré du doigt, hormis celui qui refusera les remises en question. Jusque-là, le ciel est bleu, l'autel est immaculé.

Mais le ciel pourrait s'obscurcir si les médecins, s'enveloppant dans la cape du héros solitaire, partaient à l'assaut des pratiques, sans avoir au préalable associé leurs partenaires à leur démarche. La mission est intéressante, mais le plan d'action doit résulter d'un véritable dialogue mené avec ces partenaires si on veut que ces derniers y adhèrent. Être un porteur du message ne ressemble en rien au travail du facteur: porter le message signifie qu'on est un messager, qu'on dialogue. Travailler en vase clos équivaut à se lancer à l'assaut d'une citadelle sans l'appui de ses troupes. Le dialogue est la condition sine qua non de tout projet partagé.

Quand il y a projet partagé, les rôles, les responsabilités et les tâches de chacun, voire les gestes quotidiens, contribuent à la mission. La mission s'apparente alors à l'œuvre au programme pour l'orchestre. Si exigeant que soit le dialogue, il est nécessaire pour orienter l'action de chacun. Comment imaginer l'harmonie des instruments autrement ? Tout comme les partitions particulières sont extraites de l'œuvre, les rôles découlent de la mission ! Et c'est de la relation intime qui existe entre la mission et les rôles que le leader pourra tirer le maximum : elle est à la base de la cohérence, l'action organisée précise la place de chacun. Ainsi, dans la métaphore de l'orchestre, l'action organisée remplace l'organisation extérieure aux personnes qui existait dans la métaphore de la machine.

Quand tous savent quelle est l'œuvre au programme, la mission est claire. Les partitions se précisent à travers le dialogue. Il reste à chacun à remplir sa mission personnelle, à jouer sa partition. Voilà une définition de l'« imputabilité » qui explicite ce que doit être la place de la responsabilisation dans le management des compétences. Et c'est à l'aune de sa performance que chacun gagne sa place dans l'orchestre, le public étant au final le seul véritable juge…

Dans la métaphore de l'orchestre, « je pense » est donc reconnu comme la source de richesse. Le rôle de gardien du dialogue est confié au leader qui prend les actes et leurs effets pour repères d'évaluation. Le leader s'inspire des attentes de deux publics – l'un est interne, ses partenaires, l'autre externe, son client – pour définir la portée de son effort de mobilisation. Ses objectifs sont atteints quand l'orchestre vibre aux harmonies de la symphonie au grand plaisir du public. Il a alors rempli son rôle de mobilisateur des compétences. Il en va de même dans l'organisation, dans l'action organisée.

Le secret est dans la boucle

Le secret du troisième univers réside dans la circularité : la boucle « pensée, dialogue, action, évaluation » ne tourne pas uniquement dans un sens… Quand un problème surgit dans l'une des dimensions, il faut revenir à la dimension précédente. Par exemple, si des actions se révèlent improductives, il faut revenir au dialogue pour tenter de recadrer les interprétations, dans le but de resituer l'action dans le bon contexte. On trouve une bonne illustration de ce mouvement à rebours dans l'anecdote du bénévole qui se demande s'il peut prendre le risque de permettre à une jeune délinquante de venir chez lui. Pour prendre sa décision, il devrait arracher certaines pages de son carnet, afin de considérer sa maison comme un milieu d'accueil et de faire confiance à ses filles. Son dialogue intérieur le met du reste sur la piste de cette solution. Comme le violoniste tenté de se dresser contre l'orchestre, le bénévole doit s'ajuster à sa partition…

Pour ce bénévole, le projet partagé n'est pas en cause. Mais s'il accepte d'aider les jeunes à se réhabiliter, il comprend en même temps tout le poids de son engagement. Les doutes qui l'envahissent montrent combien le changement, qui survient lorsqu'une amie de ses filles arrive dans son groupe, transforme soudain l'interprétation qu'il donnait de son rôle et de sa présence. S'il doit aller jusqu'au bout, il remet en question sa décision d'assumer son rôle… C'est seulement en plaçant le projet dans son contexte qu'il peut se redonner une marge de manœuvre. Agir autrement ne ferait qu'alimenter son dilemme.

« Quel sens aurait mon engagement de bénévole si j'interdisais à la jeune de fréquenter un milieu sain ? » Tout se joue autour de ce point fondamental : l'œuvre au programme n'est plus la même, le premier violon soupèse sa nouvelle partition… La capacité de jouer est toujours là, mais le bénévole n'est soudain plus certain de vouloir jouer. Cette dynamique traduit la circularité du troisième univers de la communication.

Cette circularité vaut pour l'analyse des relations humaines dans divers contextes. Ainsi, quand le bénévole proteste contre la sévérité dont l'intervenant a fait preuve à l'égard d'un jeune, la réplique de l'intervenant recadre le dialogue : dire « je leur parle leur langage » ne nie aucunement le jugement porté par le bénévole. Au contraire, l'intervenant admet les réticences du bénévole. Il les utilise même pour clarifier ses attentes. Le bénévole connaît alors les règles du jeu, à lui de faire son nid ou de s'envoler : le rôle découle de la mission… En agissant de la sorte, l'intervenant accepte le rôle de porteur du message.

Il crée une quête du sens de l'action que le bénévole reprend à son compte plus tard, quand il doit peser le pour et le contre de son engagement. Automatiquement, le bénévole a révisé son petit carnet personnel. La remise en cause de cette vision personnelle transparaît dans l'effort qu'il fait pour chercher le sens de son activité de bénévole.

Le recadrage effectué par l'intervenant suscite un changement. Même s'il ne comprend pas tout, le bénévole se plie au jeu de la quête du sens. Comme en témoigne la surprise qu'il éprouve en découvrant que son impatience naturelle a une utilité. Il est face à un paradoxe ! Dans ce projet, un trait de caractère qu'il perçoit comme un défaut semble tout à coup devenir une qualité. Il y a de quoi regarder son carnet avec des yeux ronds !

Cette remise en question volontaire du contenu de son carnet personnel est intéressante. Le bénévole voit son droit à la dissidence reconnu, mais il découvre simultanément des devoirs et des obligations. Il n'a pas que des droits. C'est la conclusion qu'il tire du dialogue, au moment où il comprend qu'il doit assumer son rôle même s'il éprouve des doutes ou des craintes. Il se rend très clairement compte qu'il doit s'engager... ou se retirer. Il ne peut rester neutre. Mais s'il reste, s'il renouvelle son engagement, son choix a des conséquences : il devra assumer un rôle différent.

L'habileté de l'intervenant tient au fait qu'il amène le bénévole à réfléchir. Loin de contester la bonne volonté du bénévole, l'intervenant souligne qu'il est important de prendre la décision appropriée, si difficile soit-elle. Pour le leader soucieux de mobiliser ses partenaires, l'approche présente des avantages évidents. En amenant le bénévole à se recentrer sur les effets de son action, l'intervenant gère ses propres comportements en fonction de leurs effets. Il contourne de la sorte le piège de la preuve, qui consisterait à contraindre le bénévole à adhérer à son point de vue à force d'arguments.

À la suite de ce recadrage, le bénévole opte pour le risque : il ouvre la porte à la jeune contrevenante et accepte d'ajuster ses comportements. Il s'engage. Son premier réflexe allait dans ce sens, mais il craignait que ses filles soient influencées. Au lieu de se retirer, il s'implique et s'engage davantage encore ! Il transfère même dans son environnement familial une expertise liée à son activité de bénévole. Il traitera la jeune comme les autres tant qu'elle respectera les règles du jeu. Dans le cas contraire, il durcira sa position. La leçon a porté ses fruits...

Le virage pris par le bénévole est révélateur. Celui-ci gère maintenant ses comportements en fonction des résultats de son action. Il n'écarte surtout pas l'hypothèse que, même s'il prend la bonne décision et agit en conséquence, les résultats pourraient l'obliger à revoir sa conduite. Il a pris son rôle en charge, la responsabilisation est évidente. Or, jamais le sujet n'aura été abordé! L'intervenant a exercé un leadership mobilisateur, dont le bénévole récolte les fruits. Désormais, le premier violon se gère lui-même dans l'orchestre.

La contrepartie du dialogue : l'or gris !

L'expression «communication organisationnelle» est un abus de langage répandu. Il ne s'agit en fait que d'une toute petite partie des communications interpersonnelles lorsqu'il est question de leadership mobilisateur. Certes, l'organisation est le creuset de ces relations. Et ce contexte n'est pas neutre. Pour cette raison même, chacun y a ses droits, ses devoirs et ses obligations. Mais il n'est pas rare que cette nuance s'estompe, qu'on trace une frontière nette entre l'individu et l'organisation.

Le leader averti fait la distinction entre les relations de travail et les relations interpersonnelles. Mais le caractère normatif des relations de travail ne le distrait pas de l'essentiel. Il sait qu'au-delà des règles les individus vibrent et il garde toujours à l'esprit que ses partenaires sont des personnes. S'il négligeait cette nuance, cela accroîtrait le risque de confondre la personne et le rôle, avec tout le stress qui en résulterait. Quand une nouvelle convention collective est signée, elle est bien vite mise à l'épreuve par les personnes : de l'univers du message clair qui présidait à sa rédaction, on passe à l'univers de son interprétation... dans l'espoir d'en récolter des effets. Là encore, l'articulation des univers est évidente.

Occuper une fonction d'encadrement, c'est accepter de relever le défi d'être le gardien du sens dans l'organisation. Mais le leader n'est pas l'organisation. Le preux chevalier a abandonné son armure pour se tourner vers le dialogue. S'il agissait autrement, à la longue il se dresserait contre ses partenaires, et il lui serait impossible de les responsabiliser. La responsabilisation repose sur la possibilité de choisir.

Lorsque le leader pratique le dialogue, il réduit du même coup la pression qui poussait les leaders orthodoxes à polir leur armure... Un contexte de projet partagé invite l'employé à ne pas perdre de vue la raison de sa présence dans l'organisation, sa contribution à l'action organisée. Si le chef est bien peu de chose sans l'orchestre, le premier violon ne peut écrire et exécuter à lui seul la symphonie. Cette conscience collective résultant d'un projet partagé ne laisse planer aucun doute : quand la confusion des rôles et des responsabilités envahit les rapports organisationnels, la cohérence des gestes disparaît rapidement, et c'est alors la symphonie désordonnée. Mais la symphonie désordonnée est le fait des hommes.

Pour se donner des marges de manœuvre, le leader éclairé doit reconnaître que ce n'est pas nécessairement la bonne foi des autres qui est en cause dans les moments de turbulence, et il doit toujours garder à l'esprit les effets déformants de la perception sur le réel. En étant sensible aux aspects humains et aux jeux de la perception qui les influencent, il transmue la diversité en richesse, et les obstacles habituels en autant d'occasions de mobiliser les intelligences.

Le mariage des réalités individuelles ou, en d'autres termes, la création d'un petit carnet partagé, demeurera toujours un défi. Voilà pourquoi le management des compétences, le management de l'or gris suppose du leader un profil si différent de celui des héros d'hier. Le travail des cadres a subi une mutation, il n'a pas échappé au changement, la joute n'est plus la même. Comment pourrait-il en être autrement dans un contexte où tout devient plus complexe et où la collaboration s'impose par-delà les frontières disciplinaires ? Au terme de cette démarche, l'expression « gérer la symphonie désordonnée » prend toute sa signification. Face au désordre naturel, le porteur du sens accepte de relever un défi : mobiliser les intelligences dans un projet qui, à la manière d'une symphonie, offre à chacun une partition qui rend l'harmonie possible.

Le management des compétences est un plaidoyer en faveur de la diversité, de la diversité comme richesse collective essentielle à l'exécution de l'œuvre au programme. La différence individuelle est la pierre de touche du sentiment d'exister éprouvé par chacun : s'y attaquer avec succès non seulement nous appauvrirait en tant qu'individus et en tant que personnes, mais priverait aussi l'organisation de son bien le plus précieux : l'or gris. « L'enfer, c'est les autres », la phrase célèbre de Jean-Paul Sartre n'est pas une fatalité, à condition de comprendre que la contrepartie réside dans l'expression inverse : « le ciel, c'est les autres ». Et heureusement, dans ce cas aussi nous sommes et serons toujours l'autre de quelqu'un ! Dans un environnement en mouvement, les leaders immobiles sont à l'or gris ce que les trous noirs sont aux étoiles… Le management doit se réveiller.

Bibliographie

BARUCHE, Jean-Pierre. *La qualité du service dans l'entreprise : satisfaction et rentabilité*, Paris, Éditions d'Organisation, 1992, 223 pages.

BELLENGER, Lionel. *Être pro : les clés d'un professionnalisme bien compris*, 2e éd., Paris, ESF, 1995, 227 pages.

BOISDEVÉSY, Jean-Claude. *Le marketing relationnel : à la découverte du conso-acteur*, Montréal, Éditions d'Organisation, 1996, 192 pages.

BONNET, Francis et autres. *L'école et le management : pour une gestion stratégique des établissements de formation*, 3e éd., Bruxelles, De Boeck, 1995, 244 pages.

CAUVIN, Pierre. *La cohésion des équipes : pratique du Team Building*, Paris, ESF, 1997, 89 pages.

CHAMPY, James. *Reengineering du management*, Paris, Dunod, 1995, 230 pages.

CORBEL, Bernard et Bernard MURRY. *L'audit qualité interne*, Paris La Défense, AFNOR, 1996, 100 pages.

CORCORAN, Kevin J., Laura K. PETERSEN, Daniel B. BAITCH et Mark F. BARRETT. *L'expérience des leaders : créer un avantage concurrentiel sur les marchés mondiaux*, Paris, Presses du management, 1995, 221 pages.

CORMIER, Solange. *La communication et la gestion*, Québec, Presses de l'Université du Québec, 1995, 255 pages.

COURVILLE, Léon. *Piloter dans la tempête : comment faire face aux défis de la nouvelle économie*, Montréal, Québec-Amérique, 1994, 145 pages.

COVEY, Stephen R. *Étoffe des leaders : les principes cardinaux du leadership*, Paris, Éditions générales First, 1996, 366 pages.

COVEY, Stephen R. *Les 7 habitudes de ceux qui réalisent tout ce qu'ils entreprennent*, Paris, Éditions générales First, 1996, 318 pages.

COVEY, Stephen R. *Priorités aux priorités : vivre, aimer, apprendre et transmettre*, Paris, Éditions générales First, 1995, 447 pages.

CRUELLAS, Philippe. *Coaching : un nouveau style de management*, Paris, ESF, 1993, 150 pages.

DIONNE, Pierre. « The evaluation of training activities : A complex issue involving different stakes », *Human Resource Development Quarterly*, vol. 7, n° 3, automne 1996, p. 279-286.

DIONNE, Pierre et Gilles OUELLET. *La communication interpersonnelle et organisationnelle : l'effet Palo Alto*, Boucherville, Gaëtan Morin, 1990, 144 pages.

DIONNE, Pierre et Jean ROGER. *Le stratège du XXIᵉ siècle: vers une organisation apprenante*, Boucherville, Gaëtan Morin, 1997, 195 pages.

FESSARD, Jean-Luc et Paul MEERT. *Le temps du service: relever le défi du temps dans les activités de services*, Paris, Dunod, 1993, 218 pages.

FISHER, Roger et William URY. *Comment réussir une négociation*, Paris, Seuil, 1982, 218 pages.

FISHMAN, D.B. «Postmodernism cours to program evaluation: A critical review of Guba and Lincoln's *Fourth Generation Evaluation*», *Evaluation and Program Planning*, vol. 15, 1992, p. 263-270.

GABS et JISSEY. *Changement je me marre!!!*, Paris, Eyrolles, 1997, 63 pages.

GENDRON, P.J. et C. FAUCHER. *Les nouvelles stratégies de coaching*, Montréal, Éditions de l'Homme, 2002, 222 pages.

GIST, M.E., A.G. BAVETTA et C. KAY STEVENS. «Transfer training method: Its influence on skill generalization, skill repetition, and performance level», *Personnel Psychology*, vol. 43, n° 3, 1990, p. 501-523.

GIST, M.E., C. KAY STEVENS et A.G. BAVETTA. «Effects of self-efficacy and posttraining intervention on the acquisition and maintenance of complex interpersonnal skills», *Personnel Psychology*, vol. 44, n° 4, 1991, p. 837-861.

GUBA, Egon G. et Yvonna S. LINCOLN. *Fourth Generation Evaluation*, Californie, Sage, 1989, 294 pages.

HAMMER, Michael et James CHAMPY. *Le reengineering: réinventer l'entreprise pour une amélioration spectaculaire de ses performances*, Paris, Dunod, 1993, 218 pages.

HARRINGTON, H.-James. *La réingénierie des processus administratifs: le pouvoir de réinventer son organisation*, Montréal, Transcontinentales, 1994, 406 pages.

HOGUE, J.-Pierre et Pierre BRULÉ. *La puissance du stress, une valeur ajoutée*, Québec, Presses Inter-Universitaires, 1997, 167 pages.

HOLDING, H.D. «Transfer of training», dans John E. Morrison (sous la dir. de), *Training Performance*, Chichester, John Wiley & Sons, 1991, p. 93-125.

HUNOT-CLAIREFOND, Florence. *Former les nouveaux managers: une pédagogie originale pour développer leurs compétences*, Paris, Liaisons, 1996, 120 pages.

JOHNSON, Spencer. *Qui a piqué mon fromage ?*, Neuilly, Michel Lafon, 2000, 104 pages.

KINLAW, Denis C. *Adieu patron, bonjour coach : promouvoir l'engagement et améliorer la performance*, Montréal, Transcontinentales, 1997, 186 pages.

KOUZES, J.M. et B.Z. POSNER. *Les dix pratiques des leaders exemplaires*, Montréal, Actualisation, 1998, 320 pages.

LANGLOIS, Michel et Gérard TOCQUER. *Marketing des services : le défi relationnel*, Boucherville, Gaëtan Morin, 1992, 188 pages.

LE BOTERF, Guy, Serge BARZUCCHETTI et Francine VINCENT. *Comment manager la qualité de la formation*, Paris, Éditions d'Organisation, 1992, 260 pages.

LEDUC, Claire. *Le parent entraîneur ou la méthode du juste milieu*, Montréal, Logiques, 1994, 222 pages.

LENCIONI, Patrick. *Les 5 tentations du manager*, Paris, Éditions d'Organisation, 1999, 150 pages.

LE SAGET, Meryem. *À vos marques, prêts ?... Changez !*, Paris, Liaisons, 2002, 85 pages.

MEIGNANT, Alain. *Manager la formation*, Paris, Liaisons, 1993, 335 pages.

MISSOUM, Guy et Chantal SELVE. *Le modelage de l'excellence : comment programmer la réussite des hommes et de leurs organisations*, Paris, ESF, 1994, 189 pages.

PAIN, Abraham. *Évaluer les actions de formation*, Paris, Éditions d'Organisation, 1992, 135 pages.

PAUCHANT, Thierry C. *La quête du sens : gérer nos organisations pour la santé des personnes, de nos sociétés et de la nature*, Montréal, Québec-Amérique, 1996, 359 pages.

PRITCHETT, Price. *Le choc du travail : s'adapter pour survivre*, Dallas, Pritchett & Associates, 1994, 51 pages.

PRITCHETT, Price. *Culture Shift : The Employee Handbook for Changing Corporate Culture*, Dallas, Pritchett & Associates, 1993, 35 pages.

PRITCHETT, Price. *The Team Member Handbook for Teamwork*, Dallas, Pritchett & Associates, 1992, 64 pages.

PRITCHETT, Price et Ron POUND. *Digérer le changement : manuel de gestion et de supervision du changement organisationnel*, Dallas, Pritchett & Associates, 1994, 27 pages.

PRITCHETT, Price et Ron POUND. *Manuel de l'employé en période de changement organisationnel*, 2ᵉ éd., Dallas, Pritchett & Associates, 1994, 40 pages.

PRITCHETT, Price et Ron POUND. *Team Reconstruction: Building a High Performance Work Group During Change*, Dallas, Pritchett & Associates, 1994, 28 pages.

PRITCHETT, Price et Ron POUND. *High-Velocity Culture change: A Handbook for Managers*, Dallas, Pritchett & Associates, 1993, 44 pages.

QUINN, Robert E. *Deep Change: Discovering the Leader Within*, San Francisco, Jossey-Bass, 1996, 256 pages.

SCOTT, Cynthia et Dennis JAFFE. *Les nouveaux concepts du management: l'empowerment*, Paris, Presses du management, 1992, 102 pages.

ST-ARNAUD, Yves. *L'interaction professionnelle: efficacité et coopération*, Montréal, Presses de l'Université de Montréal, 1995, 223 pages.

TANNENBAUM, S.I. et G. YUKL. « Training and development in work organizations », *Annual Review of Psychology*, vol. 43, 1992, p. 399-441.

TANNENBAUM, S.I. et S.B. WOODS. « Determining a strategy for evaluating training: Operating within organizational contraints », *Human Resource Planning (HRP)*, vol. 15, n° 2, 1992, p. 63-81.

TESSIER, Roger. *Le savoir pratiqué: savoir et pratique du changement planifié*, Québec, Presses de l'Université du Québec, 1996, 148 pages.

TICHY, Noël M. et Eli COHEN. « The teaching organization », *Training and Development*, Alexandria. vol. 52, n° 7, juillet 1998, p. 26-33.

TRAN THANH TAM, Emmanuelle. *L'entreprise anticrises*, Montréal, Éditions d'Organisation, 1996, 160 pages.

URY, William. *Comment négocier avec les gens difficiles*, Paris, Seuil, 1993, 199 pages.

WATZLAWICK, Paul. *Comment réussir à échouer: trouver l'ultrasolution*, Paris, Seuil, 1988, 117 pages.

WATZLAWICK, Paul. *L'invention de la réalité: comment savons-nous ce que nous croyons savoir? (contributions au constructivisme)*, Paris, Seuil, 1988, 373 pages.

WATZLAWICK, Paul. *Guide non conformiste pour l'usage de l'Amérique*, Paris, Seuil, 1987, 125 pages.

WATZLAWICK, Paul. *Faites vous-même votre malheur*, Paris, Seuil, 1984.